跟着小神农学认药

止咳化痰药

谢 宇 著

CNS PUBLISHING & MEDIA 湖南科学技术出版社

图书在版编目（CIP）数据

跟着小神农学认药. 止咳化痰药 / 谢宇著. -- 长沙 : 湖南科学技术出版社, 2017.8（2021.9 重印）
ISBN 978-7-5357-9365-2

Ⅰ. ①跟… Ⅱ. ①谢… Ⅲ. ①中草药—基本知识②止咳祛痰平喘药(中药)—基本知识 Ⅳ. ①R286

中国版本图书馆 CIP 数据核字(2017)第 163637 号

GENZHE XIAOSHENNONG XUE RENYAO ZHIKE HUATANYAO

跟着小神农学认药 止咳化痰药

著 者：谢 宇
责任编辑：李 忠
出版发行：湖南科学技术出版社
社 址：长沙市芙蓉中路一段 416 号泊富国际金融中心
网 址：http://www.hnstp.com
湖南科学技术出版社天猫旗舰店网址：
http://hnkjcbs.tmall.com
印 刷：长沙艺铖印刷包装有限公司
（印装质量问题请直接与本厂联系）
厂 址：长沙市宁乡高新区金洲南路 350 号亮之星工业园
邮 编：410604
版 次：2017 年 8 月第 1 版
印 次：2021 年 9 月第 2 次印刷
开 本：787mm×1092mm 1/32
印 张：8
字 数：154 千字
书 号：ISBN 978-7-5357-9365-2
定 价：19.00 元

主要人物介绍

朱有德：镇上著名的老中医，已经有30多年的行医经验，为人忠厚老实，古道热肠，经常无私帮助一些生病的穷人，有时候甚至少收或者不收药钱，赢得了很多患者的赞誉。近年来，由于年纪大了，不想让自己的医术失传，所以收了小神农作徒弟。

小神农：10岁左右，性格活泼，对中医药学有着浓厚的兴趣，聪明又爱好学习。经人介绍，来到了朱有德身边。跟随朱有德学习的时间不长，但是已经认识了很多草药，进步飞速。不过他比较调皮，有时候比较马虎，容易认错草药。

张大爷：药材商人，常年给朱有德供货。他走南闯北收购药材，见多识广，对于药材的种类和性质十分清楚。经常到朱有德家送药材，和朱有德关系不错，也非常喜欢小神农。由于他见识丰富，小神农也很喜欢他，经常盼望他到来。再加上他送的药材货真价实，朱有德也十分信任他。

师　娘：朱有德的妻子，老实敦厚，对小神农十分喜爱，视如己出。她非常支持朱有德行医，平日里会帮助朱有德整理草药，是一个温柔善良的贤内助。由于在朱有德身边多年，耳濡目染也掌握了一些中草药知识，有时候也会对小神农进行指导。

慕　白：朱有德的师弟，经营一家草药山庄，有多年行医经验。

荣　桑：慕白的徒弟，比小神农大几岁。跟随慕白学习的时间比较长，对草药的知识掌握得比小神农多，而且性格比小神农沉稳。

内容简介

止咳化痰药

自古以来，呼吸系统疾病都是影响人们正常生活的重大问题之一。现今，咳嗽、咳痰已经成为呼吸系统疾病的主要证候。随着环境、气候等因素的变化，上至中老年人，下至青少年甚至婴儿，都可能需要止咳化痰方面的调理。中医药学向来在注重疗效的同时，讲究内调外养，对于止咳化痰，更有许多独特的疗法与预防之方。

引发咳、痰症状的原因众多，感冒、体虚、肺燥……其症状也随病因而变化多端。中医药学讲究对症下药，同时注重对人的精、气、神的保养，故若一味使用多效成药治疾，从长远来看效果必不如运用中药材调理更益。本书罗列日常使用最多又最容易分辨的止咳化痰药材，更选取常见水果、食材作为辅助，结合食疗与食补，轻松解决多种证候的咳、痰问题。

出版说明

中医药学是我国所特有的一门学科，不仅包含了道家、儒家的养生基础和理论，更含有阴阳五行之哲学，使其形成祖国文化中深厚的知识基础。

随着《中华人民共和国中医药法》的颁布，中医药学受到越来越多人的关注和重视。在这项立法中，第二条规定对这一法规作出了详细解释：本法所称中医药，是包括汉族和少数民族医药在内的我国各民族医药的统称，是反映中华民族对生命、健康和疾病的认识，具有悠久历史传统和独特理论及技术方法的医药学体系。

不仅如此，自中医药法实施以来，引起了社会各界很大的反响，尤其是教育界对此非常重视。国家创新方法研究会、北京中医药大学、中国人民大学附属中学特别举行了一场“中医文化进校园校长研讨会”，国家中医药管理局局长王国强指出：将中医药文化带进校园，根据不同阶段的学生，开设不同程度的中医药课程，不仅能普及中医药知识，帮助青少年健康成长，还能将祖国传统医药文化进行发扬传播。所以，研讨会最后得出结论：要大力倡导各校进行中医药文化与推拿等养生保健技术的普及和学习。至此，各学校开始纷纷行动起来，其中北京市为全国各校的领军示范，他们早于2009年便已经开展了中医药文化的学习，及时将这一课程带进了课堂。现在，在北京有9万名中小学生在选修中医药文化课。

另外，浙江省也不甘落后，他们于2015年开始将中医药文化纳入全省小学五年级的课程之中，而且还特别建立了中医药科普宣传团，不时举办中医药文化大讲堂，为的就是把中医药文化知识带进社区、乡村、家庭，从而发扬、推广中医药文化，壮大中医药文化的人才队伍。立于创新教育的基础上，其他省市也看到了中医药文化学习的重要性，山东、安徽等省也正在努力将中医药文化带进课堂中，按不同的班级传播不同的中医药学知识。这些做法均对中医药学的发展有着良好的推动作用。

事实上，现在还有很多人对中医药学心存误解，认为一提中草药便是晦涩难懂、深奥费力的专业学识。其实不然，中草药作为祖国医学体系的特色，作为中华民族的精粹，其在日常生活中的应用非常广泛，而且其根源又深入生活，实用于生活，是难得的既可治疗疾病又能强身健体的常见药物。对这些中草药进行了解、认知，无疑在发扬中医药学的同时，又可对自我生活产生极大的帮助和裨益。

我们出版这套《跟着小神农学认药》（共计8种）便是本着这一意图而推出的，其最大的特色在于化繁为简，书写轻松，全书以故事讲解为基础，通过人物、事件的发生，将中药材的特征、用途、功效等进行讲解。主人公小神农作为一个处于学习过程中的孩子，边玩边学，逐渐对中医应用的各味中药材达到了了解、认知，这是一个寓教于乐的过程。其实，这对每一个阅读此书的读者而言也是如此，我们从对中医药学的一无所知，到跟着故事慢慢遨游于中药材世界之中流连忘返，这个过程不只会让我们增加相应的中医药学知识，更让我们收获生活养生的真知酌见。相信看完本套书，读者朋友们对中医药学的看法才会产生质的改变：原来我们所认为难懂深奥的中医药学其实就这么简单，甚至那些看似神秘的治病救人之中药材，也不过是生活中常见的草木而已。

可以这样说，本套书的最大特色在于寓事于理，传播中医药学的精髓。书中按人们日常多需多用的调理之用药进行了分类，把各种药材分别归纳成不同种类，比如补虚药、利水渗湿药、清热解毒药、止血活血药、解表药、消食药、祛风湿药、收涩驱虫药、温里理气药、安神开窍药、止咳化痰药等。有了这样细致的划分，我们在阅读的时候便简单而有针对性，再也不会觉得中医药学繁冗无味了。读者只需按自己所需要的问题去对故事进行阅读，便可于其中寻找到有益于自我身体的药材。这样一来，那些日常多见的中药材也不会被我们视为无用之草芥，弃之如敝屣了。

应该说，正是本着让人们全方位认知中药材，了解其药性及功效的目的，我们才在发扬中医药学的基础上进行了创新开发与出版。另外，由于本套丛书写作时间较紧，加上作者自身知识水平所限，书中难免会有不足之处。但相信中药材之魅力可弥补写作上的不足，从而彰显中医药学知识的光辉。惟愿本套丛书的出版，可以让中医药学得到光大传播，让大众享受简单中药材所带来的别样养生人生！读者交流邮箱：228424497@qq.com。

丛书编委会

于北京

前言
PREFACE

中草药是中华民族几千年来与疾病作斗争过程中总结出来的医药瑰宝，是中华民族的智慧结晶，不论是预防保健，还是治疗疾病，都有其独特的功效。在中医药学形成和发展的漫长历史进程中，它为中华民族的繁衍、昌盛以及人民的健康长寿做出了积极贡献。近年来，由于世界上“绿色食品”“天然药物”的兴起，中医中药备受青睐。随着社会的不断进步和科学技术的飞跃发展，人类的自我保健意识不断增强，回归自然的愿望也越来越强烈，人们更加赏识和注重中草药预防疾病和养生保健的功效。从古至今，传统中医药学不仅是人们治病救命之源，更被视为健康养生之本。纵览历代先贤著作，虽然《黄帝内经》《伤寒论》《难经》《千金方》等用药典籍不胜枚举，但其中被历代延传的精华多不在于药方，而在于草药。正因为如此，传统中医才将诸药以草为本，从而成就本草之名。

然而中国地大物博，草药数量岂止万数之多！每种药物又分别有四气、五味、归经、升降浮沉、使用禁忌等条目，若无人能辨认草药、理解药性、了解药效，那么这些天赐的愈疾之宝恐怕就会埋没于泥淖之中了。而中医典籍对于大部分刚接触中草药的人来说，又实在深奥难懂，让人望而却步。但若因此而使得传统医学之智慧最终湮没于尘埃，就实在是国人乃至世界的不幸了。基于此，笔者本着传承传统中医文化、传播优秀中医药学的初心，撰写了这套集药物速认、了解药性、对症病情、简单运用为一体的中医药普及丛书。

为了更好地让初读本套丛书的读者能够迅速认识中草药及了解它们的特点和用途，丛书以故事串联成章，以系列成书，从现代人日常生活的关注热点出发，以实用为第一准则，选取日常生活中可见的、常用的各类药物一一进行介绍。书中每一个故事就是一味草药，草药之间以药性为内在承接点，似金线串联珍珠，将传统中医药学精华串联此系列丛书。笔者惟求在深入浅出地为读者厘清药物功效作用的同时，让读者在快乐阅读中引发对传统中医药文化的兴趣，将祖国中医药文化向更深更广的社会人群中辐射、影响。此外，考虑到不同读者对于不同性味中草药的了解需求可能存在差异，笔者在编写时，采用单章成文、内中相连的编著方式，让读者既可以掌握全部药材的功效，又可随时取出一味为己所用，真正做到理论与实践结合，研究与实用兼备。

同时，为使丛书达到老叟喜读、孩童能解的表达效果，书中尽量减少了专业性较强的学术用语，代之以通俗易懂的语言。在讲解形式上，采用由小徒弟与老中医之间所发生的谈话、趣事的模式，在故事中慢慢揭开草药神奇作用的谜底，以图使读者在轻松愉快的氛围中，以探寻未知奥秘的方式，了解中草药的神奇之处与中医文化的博大精深。编写过程中，笔者也尽力做到浓缩精华、于众家所长中择善而从，为读者免去选择之烦。

从书内容以补虚药、利水渗湿药、止咳化痰药、清热解毒药、收涩驱虫药、止血活血药、祛风湿药等为主线，罗列人们日常常见之症状，对症给出相应中草药性状特点、作法用途，使读者能够轻松对症下药，而不至于沉浸于学海中茫然无措。虽不求读者凭此一书成医，但求勉力提供治疗轻微症状、预防潜在疾病的措施的可能，故从书不仅为治疗疾病也为大众养生而作。中医药学向来注重阴阳调和以护养生气，中医药学的精粹也包含历代杏林圣手于实践积淀中得出的养生强健之法。走进中药，认识中药，既是学习防病的开始，又是养生强体的基础。所谓“未病先防，既病防变”，传统中医的理念便是防重于治，因此从书在预防良方上多有赘述。

本套丛书撰稿之初，笔者喜闻中国科学家屠呦呦因研制出抗疟新药——青蒿素和双氢青蒿素而获得诺贝尔生理学或医学奖，而且这一被誉为“拯救2亿人口”的发现正是来自传统中草药青蒿。在为我国科学家领先世界一流的研究成果惊叹的同时，笔者似乎也看到了中医药学的光明未来。不久之后，2016年第十二届全国人民代表大会常务委员会第二十五次会议通过了《中华人民共和国中医药法》，此法已经于2017年7月1日起正式施行。从多方面来看，中医药学的振兴已成不可阻挡之势，中医药文化及推拿等养生保健等技术进学校、进课堂、进教材当在目前。值此良机，笔者编写本套《跟着小神农学认药》丛书，切合普及传统中医文化的现实需要，并通过诙谐幽默、生动有趣而科学精准的讲解，让读者在浅显易懂、图文并茂的阅读中，不仅获得真正实用的中医药学知识，也享受轻松学习知识的过程，这不仅是一场知识饕餮，更是一场视觉盛宴！

丛书编委会

于北京

目录
CONTENTS

止咳化痰药

止咳化痰药

天南星——止咳化痰之秘药

这已经是小神农病倒在床上的第二天了，由于浑身乏力，咳嗽不止，小神农安静了许多。

“又在看书啊？”朱有德端着汤药走到小神农的床前。

“嗯！我怕忘记之前学过的知识。”小神农用略带嘶哑的嗓音缓慢地说道。

“看书的机会有的是，目前最重要的是把病养好。”朱有德随手拿了一件大衣为小神农披上，“我熬了汤药，快点喝了吧！”说罢，朱有德便将碗递给了小神农。

“师傅，这是什么药啊？怎么跟之前喝的不一样？”小神农一闻到汤药的味道，就立刻察觉了出来。

“这是天南星，它有祛风止痉，化痰散结之功效。因此可以用来治疗口眼㖞斜，手足麻痹，风痰眩晕，咳嗽多痰，癫痫，破伤风，痈肿，惊风，跌打麻痹，毒蛇咬伤等。”朱有德为小神农解释道。

“师傅，这天……”一句话还未说完，小神农便猛烈地咳嗽起来。

朱有德一边拍着他的背一边说，“先不要说话了，为师知道你想问什么，你听着就可以了。”

小神农认真地点了点头。

“天南星用药的部分是扁球的块茎，直径2～4厘米，顶端比较扁平，在块茎周围生着很多根须，偶尔会有芽眼从侧面生出来。鳞芽

全是膜质的，有4～5个。叶子多是单一生长，叶柄是粉绿色的圆柱形，长30～50厘米。叶片分裂成13～19个，就像鸟的爪子一样，但数量没有固定；外形多是倒披针形，底部是楔形，最顶部从狭小渐渐地变尖；叶面是暗绿色，没有分裂，叶子背面是淡绿色，向侧面分裂生长势，会排列得像蝎子尾巴并慢慢地变小，中间有0.5～1.5厘米的距离。花是从叶柄的靴筒中抽长出来，佛焰苞是粉绿色的管部圆柱形，最里面是绿白色，并花的全部是喉部截形，边缘稍微向外卷曲着。花檐有的是卵形，有的是卵状披针形，背面的颜色也分为多种，多是由深绿色、淡绿色渐变到淡黄色等。花也有肉穗花序两性与雄花序单性

之分。结出的浆果有黄红色、红色两种，它们一般是圆柱形，果内有1枚棒头形的种子，不育胚珠也有2～3枚，种子通体是黄色，但是长着一些红色斑点。”朱有德详细地为小神农讲解天南星的外形特征。

小神农刚要开口说话，朱有德便做了一个“禁止说话”的手势。随后，朱有德将小神农手里的书收回，并示意他躺下。“最近不用这么拼命，等你病好了再看书也不迟，好好睡一觉吧！”朱有德为小神农盖好被子便转身走了出去。

旋覆花——止咳疗效高的俏丽花

由于小神农的身体依旧比较虚弱，所以近些天来，朱有德每次都将准备好的饭菜拿到小神农的房间里。

“快来吃饭了。”朱有德轻声说道。

“哇，好多好吃的啊！我今天要多吃一点。”小神农的气色相比之前已经好了很多，虽然他每天都说着要多吃一些，可毕竟身体不适，每次只吃一点便放下了碗筷。

“师傅，您能给我讲讲旋覆花吗？”小神农一边吃一边说道。经过几天的调理，小神农说话时咳嗽的次数明显减少了，声音沙哑的程度也减轻了。

“当然可以啊！”朱有德笑了笑，“旋覆花还叫驴儿草、百叶草，这是一种多年生草本植物，高30～80厘米。它的茎一般是绿色，有时会带点紫红，有纵棱。叶子成对地生长，其形状要么是椭圆形，要么是椭圆的披针形，有的是窄长的椭圆形，长6～10厘米，宽1～2.5厘米；顶部比较尖，底部稍窄，形状有点像小耳，也没有分裂，周边是细小的锯齿；叶正面是绿色，而且覆盖稀少粗糙的毛，叶子下面是淡绿色，覆盖密糙伏毛。头状花序长在顶端，像伞房一样排列生长，数量有多有少，直径3～4厘米。花序梗长着白毛，花序的附近一般会长出1个状似披针的苞片，总苞是半圆形，总苞片是干膜质并且有好几层，最外边是披针形的，里面一般是线状披针形或线形，苞片表面长着毛，有的只有边缘长毛。花托稍微有些凸起，有1层舌状黄色的花，花冠在顶部分出3个浅裂，底部的两边稍微有管形连合，花冠顶部有5个齿裂，裂片是三角卵形，花丝分离且比较短。果实是瘦长椭圆形的，果端长着白毛。”朱有德说完便看向小神农，“怎么突然想起来问旋覆花？”

“因为《滇南本草》中说它‘祛头目诸风寒邪，止太阳、阳明头疼，行阳明乳汁不通。（治）乳岩、乳痈、红肿疼痛、暴赤火眼、目疾疼痛、祛风明目、隐涩羞明怕日，伤风寒热咳嗽、老痰如胶，走经络，止面寒腹疼，利小便，治单腹胀，风火牙根肿痛’，而且，《别录》中还说它能‘消胸上痰结，唾如胶漆，心胁痰水，膀胱留饮，风气湿痹，皮间死肉，目中眵䁾，利大肠，通血脉，益色泽’，所以，我对它产生了浓厚的兴趣。”说着，小神农放下了碗筷。

“是的，旋覆花是一味味咸、性温、有小毒的中药，其消痰、下气、软坚、行水功效强大，所以治疗那些问题自然不在话下了。”

“嗯，我知道了。”

“吃饱了就去休息吧！等身体好了再用功看书。”朱有德关切地为小神农盖上被子，然后端着碗盘走出去了。

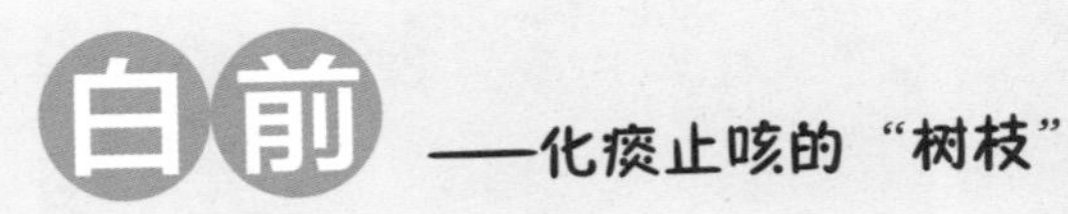

白前——化痰止咳的“树枝”

这天，朱有德像往常一样早早起床，可刚推开房门，便看到小神农已经在整理院子里的草药了。

“师傅早！”听见开门声，小神农立刻转过身来，对朱有德露出了一个灿烂的微笑。

“看来你已经完全好了！”朱有德一边笑一边关上房门。

“嗯！好了！完全没事了！”小神农说话的嗓音也洪亮了许多。

“师傅，这地上晾晒的是什么草药呀？”小神农随即问道。

小神农生病以来，所有事物全部由朱有德一人打理，所以小神农自然对有些朱有德新采回来的草药不认识了。

“这是白前。”朱有德走过来帮助小神农一起整理。

“白前？”小神农低头看着地上的草药。

“《唐本草》说白前‘主上气冲喉中，呼吸欲绝’，《日华子本草》还说它‘治贲豚肾气，肺气烦闷及上气’，所以这是一味化痰止咳之药。其味辛、苦，性微温，归肺经，降气化痰、止咳功效了得，用来治疗气喘、咳嗽痰多最好了。”朱有德耐心解释道。

“哦，是这样啊！”小神农用力点了点头，“我仔细看看它的特征，要记住才行。”

“还是师傅给你说说吧，这样你省些力气。”朱有德笑着说，“白前是直立矮灌木植物，长到最高也就有50厘米。白前的茎覆盖着二列柔毛，不过叶子上没有毛，叶子一般是长圆形，也有长圆披针形，长1～5厘米，宽0.7～1.2厘米，顶端为钝状或急尖，基部为楔形或圆形。分出的次脉有3～5对，生长比较慢，很难观察到。伞形聚伞花序腋内生，也有腋间生的，花比叶子稍微短些，一般没有毛，有的顶多有微毛，每束花由10多朵小花组成。花萼是5片深裂，里面底部长着5个很小的腺体。花冠是黄色辐状的，副花冠有些不同，是卵形的浅杯状，虽然也有5个裂片，但是全部是肉质。结出的蓇葖果纺锤形，单生，顶端渐渐变尖，底部比较紧窄，长6厘米，直径1厘米，种子是扁平的。”朱有德细细地讲解着。

“白前……白前……我记住你了！”小神农低头对着手里的白前说道。

“不忙的时候就开始收拾行李吧！”朱有德讲完白前便站了起来。

“师傅您要赶我走吗？”小神农被师傅的话吓了一跳，以为他不要自己了，顿时都快哭出来了。

朱有德不禁大笑起来：“你都在想什么呀！是这样的，过几天我带你去云水镇为一位老先生看诊。”

“原来是去看诊，吓了我一跳，这下又可以出去玩了。”小神农立刻又高兴起来。

白芥——似“接骨木”的止咳之药

这天，小神农来到后院打理草药。自从小神农生病以来，这还是他第一次来到后院照顾草药。

“哇，好漂亮的小白花啊！师傅什么时候种的接骨木呢？”小神农自己嘀咕道。

“这哪里是接骨木？”朱有德的声音在小神农背后响起，吓了小神农一跳。

“师傅，您怎么总是喜欢吓唬我？”小神农撇了撇嘴。

“你再看看这是什么？”朱有德并没有理会小神农的抱怨。

“这难道不是接骨木吗？”小神农试探性地问道。

朱有德紧闭着嘴唇，很显然他并没有回应小神农的打算。

“啊！我想起来了！这是白芥！对吗，师傅？”小神农晃着朱有德的胳膊说道。

“继续说。”朱有德的表情依旧没有变化。

“嗯。白芥属于一年生的草本植物，高75～100厘米。它的茎直立生长，会长出分枝。底部的叶子有羽裂，有的裂片2～3对，顶端的裂片是宽卵形，一般都有3裂，侧裂片长1.5～2.5厘米，宽5～15毫米，裂片顶部都是圆钝形，然后转急尖，周边是不规则较粗的锯齿，正反两面都很粗糙，被微柔毛。叶柄长1～1.5厘米，上半部分是卵形，近似长圆卵形，周边是不完整的裂齿。开的花比较多，没有苞片，是总状的花序。花是淡黄色，直径有1厘米左右。花梗长5～14毫米。花的萼片长圆形，近似长圆卵形，多数没有毛，只有很少部分有稀少的毛，前面的周边是白色的膜质。花瓣是倒卵形，长8～10毫米，长着短爪。果实是近似圆柱形的长角果，长2～4厘米，宽3～4毫米，一般是直立的，少有弯曲，果瓣上长着3～7个平行脉。喙貌似压扁的剑，长6～15毫米，一般有些弯曲，有的果实里会有1颗种子。”说完小神农小心翼翼地看朱有德。

“还有呢？”朱有德还是一副老样子。

“白芥味辛，性温，有温中散寒、利气化痰之效。《医学入门》说它可‘利胸膈痰，止翻胃吐食，痰嗽上气，中风不语，面目色黄，安五脏，止夜多小便。又治扑损瘀血’；《本草纲目》还说它‘利气豁痰，除寒暖中，散肿止痛。治喘嗽反胃，痹木脚气，筋骨腰节诸痛’。”小神农怯怯地说道。

“这还差不多！下次认草药之前一定要仔细思考！”朱有德教育道。

“我知道了。”小神农赶快答应道。

桔梗——利咽祛痰之草药

这天下午，朱有德外出看诊归来，手里拿着一些紫色、五角形状的花朵，小神农见状，大叫了起来。

“师傅，您手里拿的是什么呀？可真漂亮！”小神农一下子跑到朱有德跟前。

“这是桔梗！”朱有德说道。

“桔梗？师傅您快给我讲讲好吗？我好喜欢它啊！”小神农央求着朱有德。

“好好好！你听好啊。”朱有德找了个木凳坐了下来，“桔梗的茎高20～120厘米，一般不长毛，偶尔也会有覆盖着密密的短毛，多数桔梗没有分枝，但也有少数的会在顶部长着分枝。叶子都是轮生，

且刚开始是部分轮生，接着全部会成对生长，生出的叶子都几乎没有柄，少数有短柄。叶片分为两种，卵形和卵状披针形，长2～7厘米，宽0.5～3.5厘米，底部由宽楔形到圆钝状，叶片正面是绿色且没有长毛，反面虽无毛，但覆盖着一层白粉，叶脉上偶尔会出现短毛或者是瘤突状毛。花一般长在顶端，有的是一朵，有的是几朵组成总状的花序，更有的花序分在不同的枝上形成圆锥形。花萼是钟状的5个裂片，整体看全是三角形的裂片。花冠比较大，颜色也有很多，有蓝色、紫色和白色。结出的蒴果是球状，也有的是倒圆锥形球状，或者是倒卵的样子，长1～2.5厘米，直径1厘米左右。”

“嗯……”还未等小神农说完，朱有德便说道，“这桔梗以干燥的根部入药，其味辛、苦，性微温，归肺经，所以有利咽，宣肺，祛痰，排脓之效。多用于治疗咳嗽痰多，胸闷不畅，咽痛，音哑，肺痈吐脓，疮疡脓成不溃之症状，所以也是化痰止咳的良药之一！”

“师傅，您怎么知道我要问你药性啊？”小神农眨着大眼睛，笑了起来。

“哼，就你这点小心思，为师还能看不出来？喏，这些花拿去给师娘插在瓶中吧，可以开几天呢。”

小神农用力地点了点头，“这桔梗花可真漂亮！师娘肯定很喜欢。”他一边说着，一边朝厨房走去。

——去湿化痰的泻火药

小神农拿着已经晾晒好的药材来到药房，虽然他并不知道莲子为什么要晒，可他也并没有询问朱有德。

“怎么样了？整理好了吗？”朱有德走进药房。

“好了！都弄完了！”小神农回过头来说道。

“还不错，放得还算正……”朱有德的话还未说完便皱起了眉头。

“你怎么将莲子与贝母放在一起了？”朱有德问道。

“啊？贝母？贝母是什么？这不是莲子么？”小神农完全不知道自己将草药放错了。

朱有德捡出其中的一部分贝母，对小神农说道："这东西只是样子像莲子，其实它是贝母。贝母是多年生的草本植物，它的鳞茎是圆锥形的，茎总是直立生长，高15～40厘米。叶子有2～3对，大多是成对生，极个别的叶子在中间散生或者轮生，形状从披针形到线形不等，顶端稍微有些卷曲，也有极少部分并不卷曲。花在茎的顶端单独开放，像一个倒挂的钟一样生长，每朵花长着3枚狭长的叶状苞片，边缘部分弯曲成钩。花萼多是紫色的，有6个，少部分是绿黄色，长着紫色的斑点，大的如小方格。明白了吗？"朱有德问道。

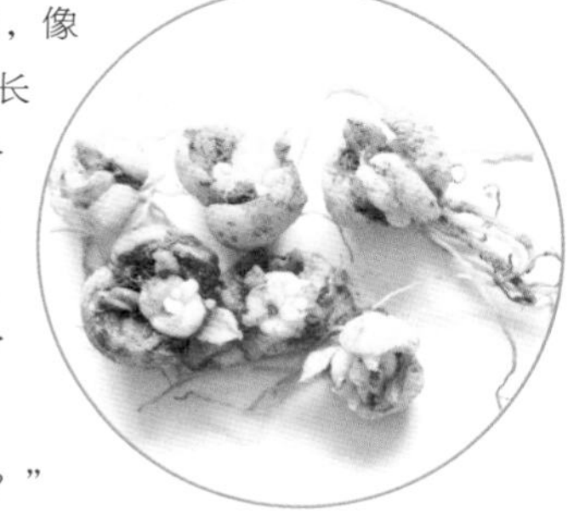

"嗯！那这贝母有什么用处呢？"

“当然是可以入药治病啦。它味苦，性微寒，归肺经，有止咳化痰、清热散结之功，用来治疗痰热咳喘、咳痰黄稠之症。另外，肺热咳嗽、痰少而黏、阴虚燥咳等症也可以用它治疗。”朱有德说。

“哦，原来贝母也是化痰止咳的良药之一！”小神农笑了起来。

“不过，运用贝母要格外小心，《本草经集注》中讲它‘恶桃花。畏秦艽、矾石、莽草。反乌头’。而《本草经疏》记载‘寒湿痰及食积痰火作嗽，湿痰在胃恶心欲吐，痰饮作寒热，脾胃湿痰作眩晕及痰厥头痛，中恶呕吐，胃寒作泄并禁用’，所以……”朱有德还未讲完，便被小神农抢过了话头。

“所以，贝母不能与桃花、秦艽、矾石、莽草、乌头同用，而脾胃寒湿者也要慎用，对不对？”

“正是如此！”朱有德摸了摸小神农的头，“还算你说得不错，但下次可一定要用心分辨药材，不然会出大事的！”

“知道了！师傅！”小神农说道。

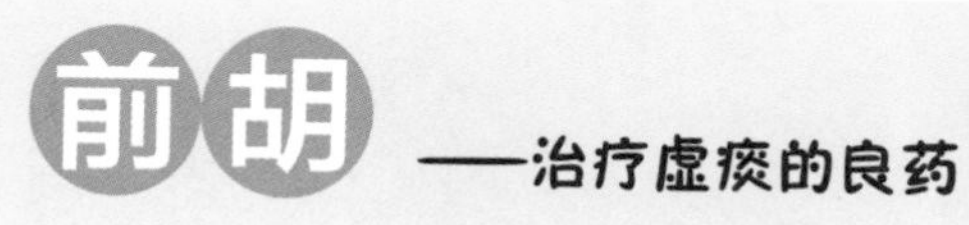

前胡——治疗虚痰的良药

“《本草汇言》曰：前胡，散风寒、净表邪、温肺气、消痰嗽之药也。如伤风之证，咳嗽痰喘，声重气盛，此邪在肺经也；伤寒之证，头痛恶寒，发热骨疼，此邪在膀胱经也；胸胁痞满，气结不舒，此邪在中膈之分也。又妊娠发热，饮食不甘，小儿发热，疮疹未形，大人痰热，逆气隔拒，此邪气壅闭在腠理之间也，用前胡俱能治之。罗一经云，前胡去寒痰，半夏去湿痰，南星祛风痰，枳实去实痰，蒌仁治燥痰，贝母、麦冬治虚痰，黄连、天花粉治热痰，各有别也。”一大早，小神农站在院中，嘴里念念有词。

“小神农，又在认真背书呢？”这时，朱有德一手拿着洗脸盆，

一手握着毛巾，站在了小神农身边。

“师傅早！我在背前胡的药理及效用。”小神农笑了起来。

“那你知道前胡长什么样子吗？”朱有德饶有兴致地与小神农聊起来。

“知道一些，师傅，我背给您听。”小神农马上背诵起来，“前胡是多年生草本植物，高30～120厘米。它的根是圆锥形，茎是单独地直立生长，仅仅在上面长出分枝。基生叶有长柄，全是从圆形到宽卵形的纸质叶，长5～9厘米，三出式的2～3回羽状分裂，最终裂片为菱状倒卵形，且具有不规则羽状分裂，其上长有圆锯齿。叶柄长6～20厘米，底部长有宽鞘，是楔形。大部分的花长在顶端，也有

腋生的，多数是复伞形花序，总伞梗有不等长的7～18个，没有总苞片，小总苞片是条状披针形，它的周边覆盖着缘毛。花萼有5个三角形的裂片。花瓣通常是近似圆形的卵状，白色，顶端的舌片由外向内弯曲。结出的双悬果是椭圆形或卵圆形，表面光滑没有毛，背棱和中棱都是线状，侧棱上有窄小的翅。”小神农毫不犹豫地说出了前胡的特征。

“不错！”朱有德一边洗脸一边说，“那它的药性以及主要功效你知道吗？”

“前胡味辛、苦，性微寒，归脾、肝、肺经，具有疏散风热、降气化痰的作用。它主要用于治疗外感风热、肺热痰郁、咳喘痰多、痰

黄稠黏、痰热喘满等症，是上好的止咳化痰药材。”小神农居然说得一字不差。

“嗯，照这样用功，你很快就要超过师傅了。”朱有德满意地点着头，“快去洗脸漱口，吃过早饭还要去采药呢。”

“知道了，师傅。”小神农听到师傅的表扬，美滋滋地跑去洗漱了。

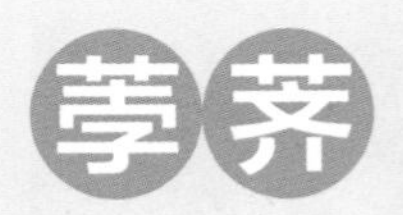

——能食能入药的“水果”

小神农期盼已久的云水镇之行终于来到了。朱有德师徒二人准备好行囊后，便动身上路了。这次，师徒二人没有走之前的路，而是改走水路。因为云水镇地势较低，并且三面环水，因此走水路不仅比陆路快也方便得多。不过，这可是小神农第一次坐船出门，他简直开心得不能自已了。自从上了船，他就没有安静过。

“呵呵，这小家伙真可爱！”在一旁划船的船夫说道。

“哪里可爱了？简直就是个鬼灵精。”朱有德打趣地说道。

“来，送给你们吃！”说着，船夫便从旁边的口袋里拿出一些暗紫色圆乎乎的东西。

小神农在得到师傅的允许后，接受了船夫的好意，“谢谢大叔！”

小神农低头看着手里的东西，有点无所适从。刚抬起头，便对上了朱有德的目光，小神农嘿嘿地干笑了两声。

“这叫荸荠，它是一种球茎，是由于莎草科植物荸荠地下匍匐茎先端膨大所形成的。球茎为扁圆球形，表面非常平滑，老熟后则呈深栗壳色或枣红色，就是你现在所看到的颜色。它有环节3～5圈，并有像短鸟嘴状一样的顶芽及侧芽，肉为白色，同时它的质地脆嫩，多汁且甜。”朱有德见小神农不认识，便详细地为他解释。

“所以，这是长在地下的根茎？那它地上部分长什么样呢？”小神农认真地问。

“荸荠属于多年生宿根性草本植物，喜欢长在泥沼里。地上茎是深绿色的圆柱形，最高可以长到75厘米，没有任何分枝，中间是空心，有横隔隔断。叶片极易慢慢退化，叶鞘是薄膜质，鞘口形状倾斜，一般容易脱落。有一个穗状花序，直立生长于顶端，花顶为淡绿的圆柱形。鳞片是按螺旋式排列的宽倒卵形，背面长着细密纵直的条纹。结出双凸镜似的小坚果，长有2.5毫米。它不仅看起来像栗子，就连它的味道、成分、作用都和栗子相似。”朱有德说完后看向小神农，只见小神农正剥了荸荠皮吃得专心呢。

“为师说的话你听到了没有？”朱有德轻轻敲了小神农的脑门一下。

“听到了，听到了，我听到了师傅！”小神农嘴里一边咀嚼着荸荠，一边含糊不清地回答着。

“荸荠虽好吃，可也要适可而止。《本草纲目》中说道：‘荸荠味甘、微寒，滑、无毒。其功能消渴痹热，温中益气，下丹石，消风毒，除胸中实热气，可作粉食。明耳目，消黄疸，开胃下食。作粉

食，厚人肠胃，不肌；能解毒，服金石人宜之。疗五种膈气，消宿食，饭后宜食之。治误吞铜物，主血痢下血，血崩，避蛊毒，荸荠甘微寒、无毒。’所以，这荸荠也是化痰止咳的良药。”

“原来这荸荠还有这么多功效呢！真是好东西。”小神农咬了口荸荠，一脸的馋相，把朱有德与船夫都逗笑了。

梨——水嫩多汁能治病的果子

晌午时分，船夫放慢了行船的速度，三人一同吃起了午饭。水面在阳光的照射下，显得格外刺眼，小神农不自觉地眯起了双眼。

“师傅，您看，是梨子。”小神农指着不远处的一片陆地说道，“师傅，师傅，您快看呀！”小神农摇晃起朱有德的胳膊。

“我看到了，我看到了。”朱有德连声说道。

“师傅，我们可以去摘几个梨子吗？”小神农用乞求的眼神看向朱有德。

“不可以，这样太耽误时间了。”朱有德一口将小神农的提议否决了。

“要不就让他去吧，我保证按照原定时间将你们送到云水镇。”

一旁的船夫替小神农求起情来。

朱有德思索了一会，缓缓开口道："好吧，那我们快去快回吧！"

"谢谢师傅！谢谢大叔！"小神农开心地笑了起来。

"不过，摘梨子之前，你要先背一遍梨子的特征才行。"朱有德见缝插针地引导着小神农学习。

"好！没问题！"小神农立刻说道，"梨树属于多年生的落叶乔木果树，是蔷薇科梨属。梨树的根系特别发达，垂直根生长可以深到2～3米，水平生长的根分布的范围很广。梨树生长在阳光充足，温度适宜的地方。叶子是互生的卵形，叶子周边有锯齿，嫩叶子是绿色，也有红色，展叶后逐渐变成绿色。花是白色，花瓣接近圆形。结出的果实形状多样，所以，我们见到的梨子有圆的，椭圆的，还有扁圆的，果皮也有黄色和褐色的。不过果肉通常是通亮白色，果肉鲜嫩多汁，甘甜爽口。梨核味道稍微有些酸，里面的种子也是黑色的。"

"那它的功效呢？"朱有德又问。

"梨肉有生津、润燥、清热、化痰之功效，所以它适用于治疗热病伤津烦渴、消渴症、热咳、口渴失音、眼赤肿痛、痰热惊狂、噎膈、消化不良等症状；梨皮则有清心、降火、生津、滋肾、润肺、补阴之功效；它的根、枝叶、花有润肺、消痰、解毒之功效。因此，梨子主要用来治疗热咳、中风不语、伤寒发热、解丹石热气、惊邪等疾病。"

说话间，船夫已经将船靠向岸边，朱有德仰了仰头，示意小神农快去快回。

"我就知道师傅最好了！"小神农边说边跑向目的地。

百部——化痰解表的“小肉坨”

下午时分，小神农变得安静起来，精神也明显不足。而且，刚刚还将中午所吃的东西都吐了出来，脸色苍白，还有汗珠渗出来。朱有德这才意识到，小神农晕船了，毕竟小神农第一次坐船，长时间的颠簸，难免会出现晕船症状。

“好点了没？”朱有德拿出了随身携带的薄荷丸给小神农吃下去，安慰他说：“没事的，一会儿就好了。”

小神农半天没有说话，但是眉头却舒展了一些。

“你这是第一次坐船，所以出现了晕船的症状。”朱有德解释着。

“师傅，您给我讲讲新的草药知识吧！我想转移一下注意力。”小神农扶着朱有德的胳膊说。

“好。为师先给你讲讲百部这味药材。”朱有德点着头说，“百部的长圆形纺锤状的块根是肉质，并且一簇簇地生长。它的茎能长到1米，常常长着很少的分枝，上面是攀缘生长，下面却是直立地生长。叶子是2～4枚相续生长，大部分是纸质、薄革质，叶子比较大，是卵形的，顶端逐渐变尖或锐尖，边缘为微波状，基部为圆或截形，不过少部分为浅心形和楔形。叶的主脉一般只有5条，多的可能有9条，正、反面全有隆起，横脉比较细密而且是平行生长。叶柄窄细，长1～4厘米。它的花是单生的，几朵花聚成伞状排列的花序，花柄特别纤细。苞片是线状披针形，花萼是淡绿的披针形，顶部会满满变尖，底部比较宽，有5～9条脉，花开了之后，会向反方向卷曲生长。花谢后，结出扁卵状蒴果，果实是赤褐色，长1～1.4厘米，宽4～8毫米，果顶部比较尖锐。种子是深紫褐色略微扁平的椭圆形，长6毫米，宽3～4毫米，种子表面长着纵槽纹。”

“可是，师傅，这百部有什么功效呢？能治什么病呀？”小神农没精打采地问。

“百部有止咳化痰之效，可用于治疗长期咳嗽、肺痨咳嗽、百日咳、哮喘等症；它还有温润肺气、散热解表之效，所以，可以用来治疗皮肤疥癣、牛皮癣、湿疹、遍身黄肿、皮炎等症状。你都清楚了吗？”朱有德关切地问道。

“嗯，清楚了！”小神农缓慢回答，若有所思。

“现在感觉好一点了吗？”朱有德又问。

“好多了。”小神农的声音相比之前有力了许多，朱有德点点头，满意地笑了。

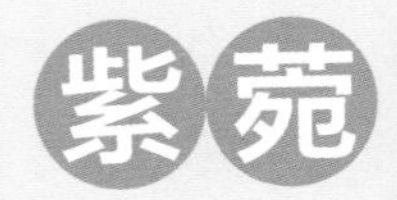

紫菀——花儿美丽的化痰之药

小神农慢慢地睁开眼，只见夕阳西下，柔弱的阳光照到波光粼粼的水面上，犹如镀了一层素锦，小神农被眼前的景色惊呆了，再向远处看。

“师傅您看，那里长满了许多小花，可真漂亮！”小神农又发现了“新大陆”，不由得叫起来。朱有德随着小神农的指点看过去，果然看见不远处的岸边簇生着一堆紫色的花。

“这是紫菀。《本草正义》曰：‘紫菀，柔润有余，虽曰苦辛而温，非燥烈可比，专能开泄肺郁，定咳降逆，宣通窒滞，兼疏肺家气血。凡风寒外束，肺气壅塞，咳呛不爽，喘促哮吼及气火燔灼，郁为

肺痈，咳吐脓血，痰臭腥秽诸证，无不治之。’”朱有德为其讲解道，“所以，紫菀不但长得好看，还是味不错的药材，尤其对风寒咳嗽气喘、虚劳咳吐脓血有效。另外，小便不利、新久咳嗽、痰多喘咳等症也可治疗，只不过，有实热的患者却不宜使用。”

“原来是这样。”小神农点着头，“师傅，您给我详细讲讲它的特征，现在离得太远了，我看不清楚。”

“紫菀是多年生的草本植物，它的根状茎是倾斜朝上生长的。茎高40～50厘米，看着比较粗壮，底部常有不定根，周遭长着稀疏的粗毛。底部的叶子是像匙子的长圆形，一般很小，下面从狭小逐渐长出宽翅形成长柄。中间的叶子是长圆形，有的是长圆披针形，没有分裂，周边有浅齿，都是纸质，叶面上长着短糙毛。中脉很粗壮，并且长着明显的网脉，有5～10对侧脉。开出的花大多是头状花序，直径有2.5～4.5厘米，花在茎和枝顶呈复伞房状排列。花序梗不但比较长，而且苞叶是线形的。总苞有3层，组成半球形，大部分是线形，个别是线状披针形，顶部是尖状的或者圆形。舌状花有20多个，它的管部长有3毫米，舌片通常是蓝紫色，长15～17毫米，宽2.5～3.5毫米。结出倒卵形的瘦果，颜色是紫褐色，长2.5～3毫米。”朱有德给小神农详细地讲解着紫菀的形态特征。

小神农听得认真，竟将自己刚刚的不适抛到脑后去了。

川贝母——下气祛痰的中药

第二天一早，小神农早早便起床了，精神明显比昨天下午好很多。

“这么早就起来了？”船夫问道。

“是啊，睡不着就起来了。”小神农一边伸着懒腰一边走到船夫身边，“咦，这不是川贝母吗？”小神农突然发现了有用的东西。

“什么……什么是川贝母？”船夫的眉头紧锁在一起，完全听不明白小神农在讲什么。

“川贝母啊！看那里，就是药材川贝母。”说着小神农伸手指向船头右边岸上的植物。

“这东西叫川贝母？还能入药？”船夫显然不认识这种植物。

“是啊，我可不骗您。”小神农开始讲了起来，“川贝母整棵植株长15～50厘米，2枚鳞片就组成了它的鳞茎，直径1～1.5厘米。叶子一般成对生长，都是从条形到条状披针形，长4～12厘米，宽3～5毫米，有的顶部会稍微卷曲，部分是不卷曲的。花一般是单朵，少数植株能开出2～3朵，颜色一般是由紫色到黄绿色。每朵花的叶状苞片有3枚，苞片比较狭长，宽2～4毫米。结出的蒴果长宽都有1.6厘米左右，棱上会有宽1～1.5毫米的狭小翅叶。种子很晚才成熟，这也是它不同于其他植株的特性。”

“这川贝母到底能干什么呢？”船夫仔细地问道。

“《本草经疏》中说：‘贝母，肺有热，因而生痰，或为热邪所干，喘嗽烦闷，必此主之，其主伤寒烦热者，辛寒兼苦，能解除烦热故也。淋沥者，小肠有热也，心与小肠为表里，清心家之烦热，则小肠之热亦解矣。邪气者、邪热也，辛以散结，苦以泄邪，寒以折热，故主邪气也。’所以，用它入药可以除烦热，利小便。”小神农对着船夫侃侃而谈。

“就这样一株草，居然能除热利便？”船夫显然有些不敢相信。

“还不止呢。川贝母味苦、甘，性微寒，归肺、心经，不但清热而且化痰、止咳，对于咳痰黄稠、痰热咳喘、燥热咳嗽、咳嗽少痰、阴虚劳咳等症都有治疗功效，是疗效绝佳的止咳化痰药。不过，川贝母只是贝母这味药的一类，它要分暗紫贝母、梭砂贝母、甘肃贝母等几种，也就是产地不同，所产的贝母也不同。虽然船夫不懂药材，小

川贝母

神农还是详细地为他讲解了一番。

“果然自古英雄出少年啊！小小年纪就懂得这么多！”船夫却被小神农的博学多才深深打动，由衷地赞美起来。

“哎呦，这没什么啦！比我师傅还差好远。”小神农有些不好意思地挠起了头。

浙贝母——治疗火疮疼痛之药

船夫似乎对小神农说的贝母话题很感兴趣，一个劲地让他再给自己讲讲其他贝母的知识。小神农想了想，说："说起这川贝母，还有一种草药叫浙贝母，与川贝母一样，它们同属于百合科贝母属植物，您要真了解了，就能很好地自己运用它的药效了。"

"这浙贝母又是什么样的？你给我讲讲呗！"船夫像个孩子似的，干脆坐下来听小神农讲。

"好啊好啊，当然可以！"小神农感觉自己现在像个老师，所以开心地说了起来："浙贝母整棵植株长50～80厘米。2～3枚鳞片组成了它的鳞茎，直径1.5～3厘米。在最下面的叶子有成对生长的，也有分散生长的，再往上叶子生长的方式多是分散的、成对的或者轮

生的，没有多少秩序；形状也是由近条形到披针形，长7～11厘米，宽1～2.5厘米；顶部的叶子有的并不卷曲，有的也略微有些弯曲。花是淡黄色，有1～6朵，少有的夹杂着淡紫色；顶部的花有叶状的苞片3～4枚，其余花只有2枚苞片。苞片都是边缘卷曲的。结出的蒴果长2～2.2厘米，宽2.5厘米，比起川贝母的蒴果，浙贝母的要大很多。”

“哎哟，这太复杂了。我天天在水上走，还真对这些植物缺少观察。那它的功效也是清热、止咳用的？”船夫听得一头雾水，干脆直奔主题了。

“对！《本草正义》一书就说过它‘大治肺痈肺萎、咳喘、吐血，最降痰气，善开郁结，止疼痛，消胀满，清肝火，明耳目，除时气烦热，黄疸淋闭，便血溺血；解热毒，杀诸虫及疗喉痹，瘰疬，乳痈发背，一切痈疡肿毒，湿热恶疮，痔漏，金疮出血，火疮疼痛，较之川贝母，清降之功，不啻数倍’。还有还有，《本草纲目拾遗》一书中说‘解毒利痰，开宣肺气，凡肺家夹风火有痰者宜此’指的就是浙贝母了。所以呀，这浙贝母与川贝母，都是很好的止咳化痰之药！”

船夫听得连连点头：“我虽然认不出川贝母还是浙贝母，但却觉得这药性最不错。平时咳嗽、感冒经常得，知道了这个，以后就可以直接买来治病了。”

“您可不能自己乱用药，毕竟不同症状用的药不一样。比如川贝母适宜风寒咳嗽，而浙贝母则适合风热咳嗽，您若用错了，岂不是更麻烦了。”小神农头头是道地给船夫分析。

“一大早就这么用功啊？”朱有德的声音从二人背后响起。

“师傅您醒啦？”小神农笑眯眯地说。

“哎呀，你这小徒弟，人虽然小，可懂得可真多，我都想拜他为师了。”船夫一见朱有德便夸了起来，小神农则低着头笑了。

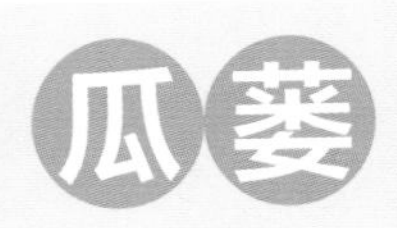

瓜蒌——能化痰的“南瓜”

吃过早饭，小神农呆呆地望着眼前的景象。这已经是在船上度过的第二天了，最初的新鲜感已过去了一大半，能看到的除了山就是水，小神农开始觉得乏味。

“小神农，你看那边的是什么？师傅年纪大了，眼神不太好用了。”朱有德解释着。

“那个啊，那个是南瓜。对，是南瓜！”还未等小神农说完，朱有德反手拍了小神农的脑袋一下。

“师傅您打我干嘛？”小神农疑惑又委屈地说。

“那是瓜蒌！”朱有德大声说道。

“师傅您这不是能看清么？”小神农一脸不满地看着朱有德。

“为师就是想考考你！”朱有德严肃地说着，“来，你给我说说瓜蒌的特征。”

“瓜蒌的形状为类球形或宽椭圆形，长7～15厘米，宽6～10厘米。表面为橙红色或浅棕色，部分表皮皱缩，也有些比较光滑；顶上有圆形的花柱残基，基部有残存的果柄。剖开后的内表面为黄白色或红黄色的丝络，果瓤为橙黄色，与种子粘结成团块状。具有焦糖味，味道微酸甜。”小神农毫不犹豫地说道。

“难道它就没有植物形态？”朱有德对小神农的马虎非常不满。

“哦，对了。”小神农吐吐舌头，马上说，“瓜蒌应该属于葫芦科植物，双边栝楼的果实也叫瓜蒌，学名叫栝楼。它是攀缘藤本植物，长能到10米，根块是肥厚的圆柱形状。茎不但粗壮而且还有很多分枝，多数长着纵棱槽。它的叶子是纸质，形状接近圆形，也有的就像同心形，通常分裂成3～5个菱形倒卵状的裂片。它会在5～8月开花，雌雄不在同一株上。雄花是总状花序，筒状的花萼，白色的花冠，顶部中间有1枚绿绿的尖头。雌花是单独生长的，花萼是圆筒形，花冠也与雄花的类似。落花后会结出椭圆形果实，这果实就是瓜蒌。但是，栝楼和双边栝楼非常类似，只不过栝楼本身要大一些，叶子的裂片也没有那么深，双边栝楼的花萼不是筒状而是线形的。”

“嗯！这还差不多，那它的药性呢？”朱有德目视着前方说道。

“瓜蒌味甘、微苦，性寒，有清热化痰，宽胸散结，润肠通便之功效，可用于治疗痰热咳嗽，肺痈吐脓，胸痹胁痛，结胸，乳痈，肠燥便秘等症状。不过，脾胃虚寒的人以及湿痰、食少便溏者不应该服用。”小神农偷偷看了看朱有德。

“掌握得还算不错，一会为师奖励好吃的给你。”朱有德说道。

“可以只吃不回答问题吗？”小神农偷偷笑了起来，他已经完全摸清了师傅的一贯伎俩。

“当然不行。”朱有德假装愤怒地说，小神农立刻不出声了。

杏——味苦微寒能治病的果子

朱有德从口袋内掏出几个滚圆的黄杏递给小神农，无论是什么，只要是可以吃的东西，小神农都会燃起百分之百的热情。只见他接过杏，随手擦了擦便要放进嘴里，一旁的朱有德不满地干咳了一声。小神农聪明异常，立刻会意了。

“我知道了。”小神农放下刚要放入嘴里的杏，转身跑向了船夫的位置。

“大叔，吃两颗杏吧，可好吃了，特别甜。”小神农一脸真诚地对船夫说。

“谢谢你啊，真是个懂事的好孩子。”船夫高兴地接受了小神农

的好意。

“师傅，这下我可以吃了吗？”小神农谄媚地笑着问。

“你觉得呢？”朱有德反问道。

“我知道了，师傅又要考我了。”小神农噘着嘴，“那就先从它的特征说起吧。杏树是落叶乔木，高5～12米。树冠通常是圆形，有的是扁圆形或者长圆形，树皮表面是灰褐色，但是纵向的裂痕是浅褐色，横生的皮孔比较大。新生的枝有光泽，还有许多个小皮孔，没有毛。叶片可以分为宽卵形和圆卵形两种，长5～9厘米，宽4～8厘米，顶部急尖，但是到了短处会缓尖，底部从圆形变得近似心形，叶子周边是圆钝的锯齿，正、反两面没有毛，不过下面的脉腋有的长着柔毛。花单独生长，直径2～3厘米，比叶子早生长，花梗很短，长1～3毫米，覆盖着短短的柔毛。花萼是紫绿色，萼筒是圆筒形，底部表面长着短柔毛。萼片是从卵形到卵状长圆形，顶部急尖，也有的

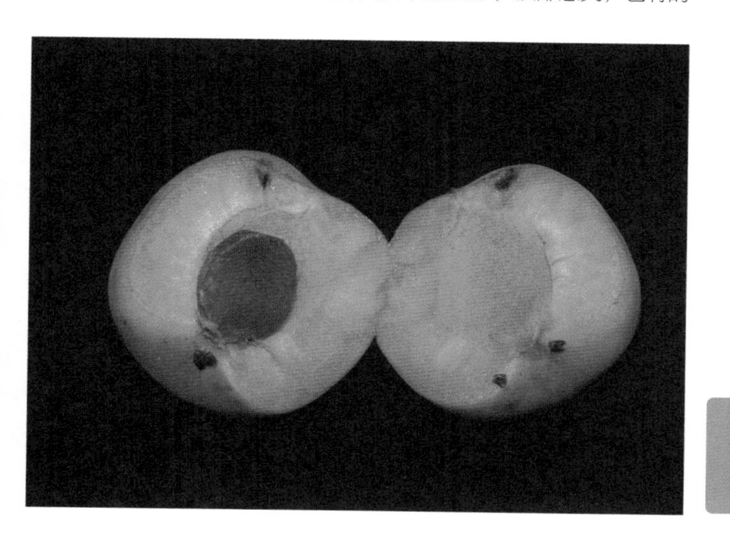

圆钝，花瓣大部分是白色带点红，形状是倒卵状圆形。果实球形，极少部分是倒卵形，直径为2.5厘米左右，颜色可以粗略分为白色和黄色，通常都有红晕。果肉比较鲜嫩而且多汁，成熟后也不会裂开，杏核多是卵形的，有的是椭圆形，两边稍微有些扁平，顶部是圆钝状，底部对称形。果皮稍微有些粗糙，也有部分比较平滑，种仁也是有苦和甜的两种。”

“那后面应该说什么了？”朱有德继续问道。

“后面就该说说杏的药性及功效了。”小神农满脸信心，“杏味苦，性微温，有小毒。它能够降气止咳平喘，润肠通便，所以通常用于治疗咳嗽气喘、胸满痰多、血虚津枯、肠燥便秘等症状。”

“拿去吃吧！”朱有德不再说什么，将剩下的杏全部给了小神农。

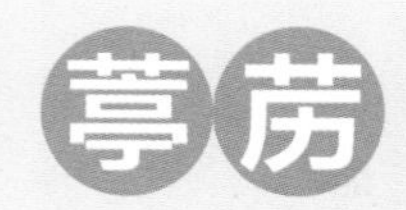

葶苈——遍地能见的祛痰之药

“我好无聊啊！师傅您再给我讲一种草药吧！”吃完杏之后，小神农又开始没精打采了。

朱有德想了想，“那就给你讲葶苈吧！”

“葶苈？这是什么药材呢？”小神农第一次听到这个名字。

“葶苈属于1～2年生草本植物，高5～30厘米。茎是直立向上生长，表面覆盖着白色细小头状的毛。底部生长出来的叶子有长柄，叶柄长1～2厘米。叶片是狭匙形或倒披针形；分布着1回羽状浅裂，有的是深裂；长3～5厘米，宽1～1.5厘米；顶部是短尖的，四周长着稀疏的有缺刻的锯齿，底部逐渐变得狭窄。茎上生出的叶子是披针形或

长圆形，中间的叶片长1.5～2厘米，宽0.2～0.5厘米，底部稍微宽一些，但是没有叶柄，周边也只有稀疏的锯齿。最上面的叶子是线形，顶端特别尖细，周边分布着少量稀疏的锯齿，几乎不存在分裂。花朵长在顶部，总状花序比较小，排列也不紧凑。萼片分成4个接近卵形的裂片，周边是白色膜质。结出近似圆形的短角果，长2～3毫米，果实都是顶部稍凹陷的扁平状，果瓣的上面长着不起眼而又狭小的翅。种子是椭圆卵形，外表是棕红色，比较平滑，有的表面是黄褐色。”

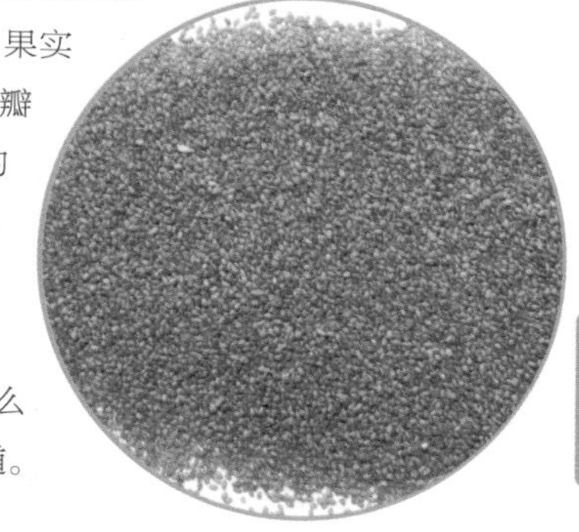

“是不是医书中说过？我怎么觉得这么耳熟呢？”小神农问道。

“很多医书都有提及，比如《本草图经》说‘葶苈，今京东、陕西、河北州郡皆有之，曹州者尤胜。初春生苗叶，高六七寸，有似荠，根白，枝茎俱青，三月开花微黄，结角，子扁小如黍粒、微长，黄色。立夏后采实暴干’。”

“哦，那葶苈的功效是什么呢？”小神农在心里埋怨自己，明明之前在书中看过的，但看的时候一味囫囵吞枣，现在只好问师傅了。

“葶苈取其种子入药，可利水消肿、祛痰平喘、泻肺降气。所以它的功效也就显而易见了，既能化痰止咳、平喘降气，又能利小便，消水肿。只不过，肺虚喘咳、脾虚肿满的患者，不宜用这味药。现在明白了吗？”朱有德随口问道，但是却半天没有等到小神农的回应，低头一看，原来小神农已经睡着了。

朱有德看着他睡得甜蜜，无可奈何地摇摇头，随手拿了一件衣服盖在了小神农身上。

胖大海——清肺化痰有奇效

也许是因为舟车劳顿，小神农又开始咳嗽了。朱有德听到咳嗽声，立刻走回到船舱内，没过一会儿工夫，端着一杯茶走出来。

“把这个喝了。”朱有德命令道。

“这是什么啊，师傅？”小神农的声音略带沙哑。

“胖大海呀！你难道不认识？”朱有德反问。

“我见过，它的外形是纺锤形，也有点像椭圆形，长2～3厘米，直径1～1.5厘米。两头是钝圆的，底部歪着，稍微有些尖，长着浅色圆形的种脐，外表是棕色，有的是暗棕色，略微有些光泽，整个布满了不规则又干缩的皱纹。最外边的种皮很薄，而且非常轻脆，很容易

就会脱落。中间的那层种皮相对来说比较厚，黑褐色，同样比较疏松易碎，遇到水就会膨胀得像海绵，您看现在的样子像不像？胖大海本身的气味很淡，不过咀嚼起来还是有黏性的。”小神农边回想边说。

“嗯，你说得不错，不过，你说的只是胖大海本身的特征，可不代表它的植物特征。”朱有德笑着说。

“那胖大海树长成什么样呢？”小神农又开始好奇了。

“胖大海是落叶乔木，高40米左右。单叶是彼此生长的卵形，有的近似椭圆披针形。叶片是革质，长10～20厘米，宽6～12厘米。它一般是有3个裂片的，也有的没有分裂，叶面光滑没有毛。花朵长在顶端，或者是腋

生的圆锥花序，花多是杂性同株。花萼是钟状的，有深裂。长在果梗上的花朵是能结果实的，一般有1～5个，都是船形的，最长的有24厘米。它的种子是菱形的，也有的是倒卵形，颜色分深褐色与土黄色两种。”

“师傅，胖大海入药就是治疗咳嗽的吗？”小神农边喝边问。

“可以这么说，胖大海味甘、淡，性凉，归肺、大肠经，可清热利肺、利咽解毒、润肠通便，对肺热声哑、干咳无痰、咽喉干痛、热结便闭、头痛目赤都有治疗作用。”朱有德笑着说，“《本草纲目拾遗》中说过，它‘治火闭痘，并治一切热症劳伤吐衄下血，消毒去暑，时行赤眼，风火牙疼，虫积下食，痔疮漏管，干咳无痰，骨蒸内热，三焦火症’。”

“哇，原来是这样！”小神农眯起了眼睛，仔细看起杯中的胖大海来。

桑白皮——降糖利尿的止咳药

傍晚时分，小神农的精神好了许多，虽然他很希望可以立刻下船，但因为之前的大风，不得不延缓靠岸时间。

“师傅，师傅，您快看，是桑白皮！“小神农瞬间兴奋起来。

“你这话可有问题。那是桑树，桑白皮是桑树的干燥皮，你要分清主次。”朱有德看向小神农所指的方向，纠正道。

小神农吐叶舌头，马上不好意思地笑了。

“你能说说这桑树的特征吗？”朱有德又问。

“当然了！”小神农的语气变得轻快起来，“桑树是落叶灌木或落叶乔木，高3～15米。树干皮上有条状浅裂，整体呈灰白色，根部

的皮是黄棕色或红黄色，有很强的纤维性。每节的叶子交互生长，叶柄长1～2.5厘米。大部分叶片卵形，有的略宽，长5～20厘米，宽4～10厘米，有的顶部锐尖，少许慢慢变尖，底部是圆形，有的近似心形，周边长着比较粗的锯齿或圆齿，少有会出现一些不太规则分裂，叶面有光泽没有毛，距离底部有3条脉以及不规则的细脉交织在一起，貌似一张网，从背面看很清晰。托叶是披针形的，会早脱落。花单性生长，雌雄不同株。结出的瘦果大部分都密集在一起，形成近似圆形的聚合果，长1～2.5厘米，起初是绿色，成熟之后会变成紫黑色或者是红色的肉质。”

“说得没错，桑树的皮干燥之后可入药，称为

桑白皮。但你知道桑白皮的特征及药性吗？”朱有德问道。

“桑白皮还不好认么？它是淡灰黄色的，呈扭曲的卷筒状，长短不一，厚1～4毫米，表面有残留的橙黄色鳞片状粗皮，内里黄白色，有细纵纹，体轻，质韧，纤维性很强，不容易折断。”小神农笑道，“桑白皮味甘，性寒，归肺经，可以泻肺平喘，利水消肿，因此，可用它治疗肺热喘咳、水肿胀满尿少、面目肌肤浮肿等症。《药品化义》中说过‘桑皮，散热，主治喘满咳嗽，热痰唾血，皆由实邪郁遏，肺窍不得通畅，借此渗之散之，以利肺气，诸证自愈’。”

“哟，小神农知道的真不少……”

“啊！”朱有德还没说完，就听到一声惊叫，原来是船身剧烈地晃动，小神农一个没站稳，差点掉下船，幸好被朱有德拉了回来。

“吓……吓死我了！”小神农略带哭腔地说。

“这下老实了吧？叫你平时不听为师的话！”

“我以后肯定听您的话，吓死我了！”小神农不停地说着。

矮地茶——不是茶的治风湿之药

上船已经三天了，小神农显然对船上的生活失去了兴趣，开始不断在心里期盼船能快些靠岸。不过，无所事事之余，他又像以前一样背起来草药知识来。

“矮地茶是一种常绿小灌木，高10～30厘米，底部常常是横生的暗红色匍匐状，有许多纤细的不定根依附在底部。它的茎是单独生长的圆柱形，外表是紫褐色，上面覆盖着短腺毛。叶子有次序地生长，经常是3～7片集中在茎的一端呈辐射状排列；大部分是椭圆形，有的接近卵形；长3～7厘米，宽1.5～3厘米；顶部短尖，底部是楔形，周边布满尖尖的锯齿；正、反两面都有稀疏的腺点分布，叶背面是淡

红色，中脉上长着毛。花朵是接近伞形的，圆锥花序，长在顶端，有的是腋生。花是杂性同株的。花萼有分裂，摆成钟状。果梗上长着1～5个船形蓇葖果，长24厘米。种子是深褐色椭圆形，有的近似倒卵形，种皮较薄而且生脆，里面包含了很多黏液质物质。”小神农小声地嘀咕着。

“小神农对矮地茶的特征把握得很到位呀，可惜没有说它的药性、功效。”不知什么时候，朱有德早站在小神农身后了。

“矮地茶味辛、微苦，性平，归肺、肝经，可化痰止咳、利湿活血。所以，专治痰中带血、咳嗽、湿热黄疸、跌打损伤等症。而且，我还知道，《本草纲目拾遗》中说它‘治吐血劳伤，怯症垂危，久嗽成劳’，而《植物名实图考》则说它可‘治肿毒，血痢，解蛇毒，救中暑’。”小神农马上流利地回答。

“真不错，看来无聊还是有点好处的，能让你认真学习啊。”朱有德坐在小神农的旁边笑着说。

“这何止是无聊，简直是无聊透顶！我完全是迫不得已呀。”小神农急切地说道。

“那吃完这个心情会不会好一点？”朱有德从背后拿出一块紫藤糕给小神农。

“啊！紫藤糕！”尽管小神农很是兴奋，可是他却并没有伸手接紫藤糕。

“不想吃？这不是你最爱吃的点心吗？”朱有德问道。

“又要回答问题。”小神农不满地嘀咕道。

“这次不用，吃吧！”朱有德笑着将紫藤糕放入小神农的手里。

洋金花——止疮疡疼痛，宣痹着寒哮之药

“师傅，您什么时候学会做紫藤糕了？”小神农边吃边嘟囔道。

“这不是我做的，是我们出门时王二婶送的。”朱有德笑道。

“我说呢！我也觉得师傅不会做！”小神农偷笑道，二人不禁大笑起来。

“咦？这里面还有洋金花！”小神农大声说道，“师傅您尝尝，这里面除了紫藤花，真的放了洋金花！”

朱有德认真尝了一口说道：“确实放了洋金花。”

“王二婶可真有心，居然会放洋金花进去，这样紫藤糕的味道更好了。”小神农似乎非常喜欢这个味道。

“既然你能尝出洋金花的味道，那应该也知道它的特征吧？”朱有德顺势说道。

“唔！这个当然知道。”小神农一边吃一边说，“洋金花是一年生的直立草本植物，类似半灌木，高0.5～1.5米，整体几乎没有毛。叶子是卵形的，有的接近于广卵形，顶部慢慢变尖，底部有的是不对称的圆形，还有的是截形或者楔形，周边长着不规则短齿或者浅裂，每边有4～6条侧脉。叶柄长2～5厘米。小部分的花单独开在枝叉间或者叶腋下，花梗长1厘米。花萼是筒状，裂片是狭长的三角形或者披针形。花冠貌似一个长漏斗，长14～20厘米，花檐的直径6～10厘米，

在筒的中间往下都很细，向上扩大成一个喇叭的样子。结出近似球状的蒴果，上面长着稀疏的粗短刺，直径3厘米，果实上有4瓣不规则的裂片。种子淡褐色，宽3毫米。”

“不错啊！还都记得！”朱有德还算满意，又问，“那么药性呢？”

“唔？药性……我记得《本草纲目》中说它‘诸风及寒湿脚气，煎汤洗之；又主惊痫及脱肛，并入麻药’；而《本草便读》中则说它‘止疮疡疼痛，宣痹着寒哮’。其他的，我就不知道了。”

“嗯，你虽然说了一些功效，但并不全面，应该这样总结：洋金花味辛，性温，归心、肺、脾经，可止咳平喘、止痛镇静，所以，治疗哮喘咳嗽、脘腹冷痛、风湿痹痛、小儿慢惊等症都很有效。”

“您是师傅呀，我才是徒弟，怎么可能像您说的一样好呢？”小神农不满地噘起嘴。

“好，是师傅不对，下次师傅为你总结，行了吧？”朱有德不禁大笑起来。

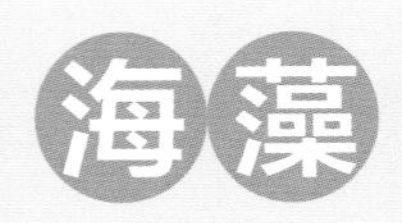

海藻——海里生出的中草药

“师傅，您知道海藻是什么吗？”正在吃午饭的小神农没头没尾地问了一句。

“怎么突然想起问海藻？”朱有德不解。

“我突然想起《神农本草经》中说海藻‘主瘿瘤气，颈下核，破散结气，痈肿症瘕坚气，腹中上下鸣，下十二水肿’。而《药性论》中则说它‘治气痰结满，疗疝气下坠，疼痛核肿，去腹中雷鸣，幽幽作声’。《本草蒙筌》又说它‘治项间瘰疬，消颈下瘿囊，利水道，通癃闭成淋，泻水气，除胀满作肿’。既然海藻功效如此之大，我却不知道海藻为何物，这多可惜呀。”

“确实是挺可惜的。”朱有德听完大笑。

“师傅，您快给我讲讲海藻的样子嘛。”小神农撒起娇来。

“好。海藻大部分长在海洋与陆地的交接处，但我们所处的地方为平原，所以，想要见到海藻除非有人从外地运输过来。说起海藻，它有大叶海藻与小叶海藻之分，大叶海藻较为常见，这次先给你讲讲大叶海藻。”朱有德边吃饭边说，“大叶海藻是黑褐色的，皱巴巴地卷曲着，但有的覆盖着一层白霜，长30～60厘米。它的主干部分是圆柱形，上面长着圆锥形凸起，主枝从主干的两边长出来，旁枝从主枝的叶腋生长出来，上面长着短小刺状的凸起。刚长出的叶面是披针形，有的是倒卵形，长5～7厘米，宽1厘米左右，没有分裂，周边长着粗壮的锯齿。侧生的叶面是条形或披针形，在叶腋间长着条状叶面的小枝。气囊大多是黑褐色球形或者是卵圆形，有部分是有柄的；它的顶部是钝圆形，有部分有很细的短尖。整体比较生脆，潮湿的时候会变得柔软，被水浸泡后能够膨胀起来，摸上去黏黏的很光滑。气味是咸腥味。”

“原来这就是海藻啊，我倒是想亲眼看看。”小神农说道。

“会有机会的，以后为师亲自带你去看！”朱有德说，“不过，小神农，你要记住了，海藻虽然功效多，但禁忌也不少。比如脾胃虚寒蕴湿者，血气两亏者，又或者正服用甘草的患者，都不能服用。因为它味咸，性寒，善软坚、消痰、利水、退肿，脾虚寒、血气两亏的人服用反而会加重症状。知道了吗？”

“嗯，知道了。药性很重要，再好的药不对症也不能服用。”小神农斩钉截铁地大声说道。

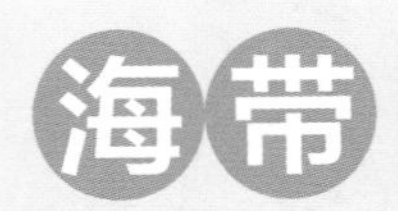

海带——海水中难得之中草药

小神农刚还在兴头上，却突然就皱起了眉头，变脸像翻书一样快。

“你这是怎么了？”朱有德看到了小神农脸上的变化。

“师傅，那海带又是什么啊？”小神农沮丧地说，“完全分不清它们了！”

“你就因为这个犯愁啊，我还当你有什么大麻烦呢，好好听着。”朱有德接着说道，“这海带的叶片就像宽带子，末梢的地方会渐渐地变窄，通常长2～5米，宽20～30厘米，不过生长在在海底的海带整体比较小，它长1～2米，宽15～20厘米。叶片周边比较薄

软，长着波浪褶，叶片底部有短柱状叶柄连接着固着器。海带通常整个是橄榄褐色，晾晒后就会变成深褐色或者黑褐色，叶片上附着一层白色的粉状盐渍。”

“哦，这样我就明白了。”小神农点着头。

“那你能说出海带的功效来吗？”朱有德问小神农。

“当然，海带性味咸寒，与海藻相似，所以它不仅可以止咳化痰，还可以软坚散结并预防便秘等问题。”小神农立刻回应道。

“嗯，说的没错。海带的药用价值很高，可治疗瘿瘤、瘰疬、咳喘、水肿、肥胖等症，是非常好的亦食亦药产品。”朱有德帮小神农总结着。

“师傅，您什么时候可以带我去看海藻和海带啊？”小神农突然将话题转向了别处。

“等忙完这一阵，师傅就带你去！不过，海藻和海带都生长在有大海的地方，恐怕你又要坐船了。”朱有德笑着说。

“我不怕！师傅您答应我了，可千万不能反悔啊！”小神农认真地看着朱有德。

“一言为定！”朱有德伸出了自己的手掌。

小神农与朱有德击掌为约。

苦杏仁——去痰止咳的下火药

渐渐地，周围开始出现了平地，偶尔也能见到行色匆匆的路人。应该是快要达到云水镇了，小神农心想。

“想什么美事儿呢？”朱有德的声音在小神农身后响起。

小神农回过头去，对着朱有德嘿嘿地傻笑道：“终于要下船了！”

“这里还有最后一点……”朱有德从口袋时掏出来了什么，可话还没说完，便早被小神农给抢了过去。

“呸！”小神农刚将其塞进嘴里，马上就吐了出来，“原来是苦杏仁啊！”小神农皱着眉头说道。

“我可没强迫你吃啊，是你自己抢过去的！“朱有德幸灾乐祸地说。

在船上的无聊日子，小神农除了发呆就是靠吃来打发时间。所以无论什么，只要能吃，小神农都会欣然接受，这实在怨不得他。

“刚吃了点苦味的杏仁，一定有精神了，那就说说苦杏仁的特征吧。”朱有德打趣着说。

“苦杏仁……苦杏仁……这……苦杏仁到底是什么呢？”小神农支支吾吾地半天说不出个所以然，“师傅，我都不知道它是哪来的！”小神农默默低下了头。

“苦杏仁是山杏核内长的种子。山杏是蔷薇科的落叶乔木，高度能达到6米。叶子都是按次序生长的；它的形状一般是广卵形或卵圆形；长5～10厘米，宽3.5～6厘米；顶部是短尖状，有的顶部是逐渐变尖，底部是圆形，周边分布着细锯齿或者是模糊不清的重锯齿。多数的叶柄是红色，都有个2腺体。花朵都是单独生长，花比叶子早开放，它基本上没有花梗。萼片分成5个裂片，一般花有5个花瓣，花朵多是白色，也有粉红色。核果接近于圆形，直径3厘米左右，多数果实是橙黄色。核非常坚硬，全都是扁心形，它沿腹的缝中有沟。”朱有德帮助小神农解释。

“哦，原来是这样呀，我开始还以为这就是甜杏的种子呢，看来还是有所区别的。”小神农说道。

“现在你可要记住了，以后我再问到可不能答不出来了。”朱有德叮嘱着。

“放心吧师傅，”小神农笑起来，但很快就想到了什么，“师傅，苦杏仁也是药吗？它有什么功效？”

“当然可以入药啦。苦杏仁味苦，性微温，有小毒，归肝、大肠经，具有降气止咳、平喘润肠之功效。《神农本草经》中说它‘主咳逆上气雷鸣，下气，产乳金疮，寒心奔豚’；而《药性论》又说‘治

腹痹不通，发汗，主温病。治心下急满痛，除心腹烦闷，疗肺气咳嗽，上气喘促’。可见它药效巨大，特别是善降肺气，治疗肺实喘咳、胸满痰多、咳嗽气喘之症。”朱有德细细讲解着。

“师傅，我现在知道了，下次您肯定难不住我了。”小神农说完，自信地笑了。

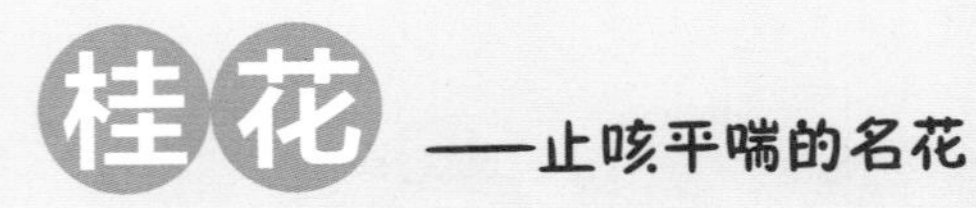

桂花——止咳平喘的名花

“江南忆，最忆是杭州。山寺月中寻桂子，郡亭枕上看潮头，何日更重游。”小神农大声吟着诗，坐在一旁的朱有德饶有兴致地问：“你还会背白居易的这首《忆江南》啊？”

小神农笑着说：“我还知道其他的诗呢。”小神农清了清嗓子说，“桂子月中落，天香云外飘。”

朱有德一听就明白了，说：“原来跟桂花有关系啊。说吧，你又想干什么了？”

小神农笑着说：“真不愧是我师傅，真是才高八斗，学富五车……”

朱有德感觉不对劲，立刻打断小神农说：“可别夸我，你就说说你想干什么吧。”

小神农说：“其实也不是什么很难的事情，就是我昨晚看到了关于桂花的介绍，我就想起了我们村头的那棵桂花树。我看书上说，桂花可以用来泡茶，桂花茶可养颜美容，舒缓喉咙，改善多痰、咳嗽症状。所以我就在想，要不我们去采点桂花回来泡茶喝？”

朱有德还以为是什么重要的事情呢，原来就是这样一件小事，立马

说：“可以啊，为师收拾收拾就出发。”

两人一起走在路上，朱有德说：“小神农，你昨天都看到哪些关于桂花的知识了？”

小神农就知道师傅会这样问，自信满满地说：“我知道了好多好多关于桂花的知识呢，师傅您想听哪一方面的？”

朱有德笑着说：“我想听听桂花长什么样子，看看咱们俩脑海中的桂花是不是一样的。”

小神农说：“这样啊。我看到的是这样的：桂花是一种常绿灌木或者乔木，主干树皮是灰褐色，但是小枝却是黄褐色，没有长毛。叶片是椭圆形的革质，有的近似于长椭圆形或者椭圆披针形。花朵多以聚伞花序成簇开在叶腋下，有的状似扫帚，苞片质厚呈宽卵形，虽然有小尖头，但是没有毛；花梗特别细弱，没有毛；气味芬芳；花冠有淡黄色的、黄白色的、黄色或者橘红色。”

小神农停了一下，刚准备继续说，朱有德接着小神农说："一样啊，那让为师也说说，看看和你的是不是一样。"小神农点了点头。

朱有德说："桂花有很多种类，有丹桂，还有四季桂。桂花的果实俗称桂子。桂花实生苗有明显的主根，根系发达深长。幼根浅黄褐色，老根是黄褐色的。桂花喜温暖，抗逆性强，既耐高温，也较耐寒。"

小神农笑着说："我们想的一样咧。我还知道，桂花的功效可多了。首先桂花以花、果实及根入药。秋季采花，春季采果，四季采根，分别晒干。其花味辛，可以散寒破结、化痰止咳，用于牙痛、咳喘痰多等症状。果可以暖胃、平肝、散寒，用于虚寒胃痛的症状。根可以祛风湿、散寒。"

朱有德点了点头，说："桂花可以用来做糕点、糖果，还可以拿来酿酒。不仅如此，桂花也是我国的一种传统名花，也是适合大众观赏的一种植物。"

小神农笑着说："有师傅您帮着说，我都少说了好多啊。我们快点采点回去吧，既可以泡茶，还可以做桂花糕。哈哈哈哈。"

朱有德无奈地笑了笑，小神农一提到吃的，果然就会变回原形。

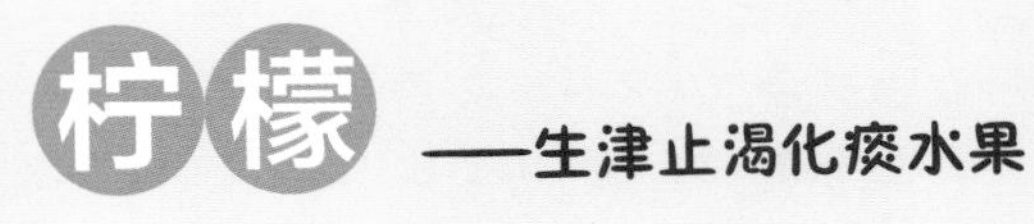

柠檬——生津止渴化痰水果

自从小神农喝了桂花泡的茶之后，整天都嚷嚷着要和朱有德再去摘点桂花回来。朱有德看着家里的半筐桂花说：“不是还有那么多吗？怎么还去？”

小神农摇摇头说：“不可以，那是拿来做桂花糕的。”

朱有德笑了，说：“真是个馋嘴猫！桂花咱们上回已经摘了那么多了，这回如果还去的话，别人还怎么摘？整棵树的桂花都让咱们俩摘没了。”

小神农一听师傅说得有道理，就不说话了。

朱有德看见小神农失望的样子，说：“这桂花嘛，是没有了。不

过你师傅我呢，想到另一种可以拿来泡茶的东西，而且泡出来的茶还很好喝哟。”

小神农一听到这句话，两眼立刻放光，问：“那是什么？”

小神农一个劲地问朱有德那种东西到底是什么，一会儿说：“师傅您就告诉我嘛，快点嘛。”一会儿又嘟囔说：“师傅您总是这样，明明知道我是一个好奇心强的人，还总是吊我的胃口，总是不告诉我。”朱有德被他缠得头疼，只能跟他说：“好好好，我就告诉你是什么，这东西啊，就是柠檬。”

“啊，柠檬啊，我知道柠檬，不过柠檬挺酸啊。”

朱有德说：“就是因为它的味道很酸，肝虚孕妇最喜食，所以又称益母果或益母子。它的果实汁多肉脆，有浓郁的芳香气。又因为味道特酸，所以可以作为上等调味料，用来调制饮料菜肴。”

小神农接着就说：“我记得您说过柠檬是小乔木。枝上少刺或者几乎没有刺。嫩叶和花芽都是暗紫红色。叶片是卵形或者椭圆形厚纸质的。开出的小花是白色带点紫，细细闻一闻，就能闻到香味。结出的柑果是椭圆形，有的是卵形，两头非常的狭窄，顶部一般比较狭长，而且长着乳头样的凸尖。果皮一般都比较粗糙，也比较厚，通体是黄色的，很难和果瓣剥离；果汁酸甜，有的特别酸。种子是比较小的卵形。”

朱有德听完连连点头，说：“嗯，是这样的。不过你也要记住它的功效，《本草纲目》中记载柠檬具有生津、止渴、祛暑等功效。柠檬果汁，味苦，性温，无毒。《陆川本草》中说柠檬果实、皮汁等具有疏滞、健胃、止痛、治郁滞腹痛不思饮食等功效。所以，当人神疲乏力，口味不好的时候，喝一杯柠檬泡水就好了。”

“哇，原来柠檬的功能这么强大！”小神农感叹道。

朱有德却接着说：“还不止这些呢。柠檬具有清热化痰的功能。你不知道柠檬皮的祛痰功效比柑橘还厉害吧，夏季痰多，咽喉不适的时候，就可以喝柠檬汁加少量食盐的温水，可将喉咙积聚的浓痰顺利咳出。它同时具有抗菌消炎的功效，平时可多喝热柠檬水来保养身体。”

小神农听着听着就已经按捺不住了，好不容易等朱有德说完，就急忙拉着他说：“师傅，我们快点吧。”

朱有德被小神农拉得直踉跄，说：“我就知道先跟你说了，你准会这样，你呀……”

龙脷叶——润肺化痰的紫色草

这一天，小神农和朱有德从集市上买了些日常用品回家。在回家的小路上，小神农看见一丛草，无意说了句："师傅您看，这草上面的花纹好像龟壳啊，真好玩。"

朱有德也看了一眼说："那叫龙脷叶，是一味中药。"

小神农愣了，挠了挠头说："看来我还要更认真地看书才行，我还不知道什么是龙脷叶呢。"

朱有德说："没关系，我们先把东西放好，出来我再跟你说这味药。"

很快，师徒俩把东西放好，又一起来到龙脷叶面前。朱有德蹲

下来，摸着龙脷叶说：“龙脷叶又名龙味叶、龙舌叶。它是常绿小灌木，高度可达40厘米。细小枝条蜿蜒地弯曲着，有模糊不清的小柔毛。叶子是卵状披针形，有的是倒卵状披针形；长5～8厘米；顶部浑圆或者钝状，有的有小凸尖，底部是短尖的，有的接近浑圆形，没有分裂；叶正面是暗绿色，反面是橄榄绿色；托叶是比较小的三角形，成熟后整个是黄色。它在2～10月开花，雌雄同株，一般是2～5朵成簇生长在落叶的枝条中间或者是在叶子的下面。雄花是倒卵形的，它长着6枚萼片，是2轮生长。雌花有花梗但是没有花盘，它的萼片与雄花相似，子房近似圆球形，花朵是红色，也有的是紫红色。”

小神农接着问道：“师傅，那它的功效有哪些呢？”

朱有德说：“它可以清热润肺、化痰止咳，可以治疗肺热咳喘痰多，口干和便秘等症。在《陆川本草》一书中就有记载，说它性平，味淡，可清肺，治肺热咳嗽。”

小神农又问道：“那它主要生长在什么环境中呢？”

朱有德说：“它们大多生长在山谷、山坡湿润肥沃的丛林中。喜欢温暖湿润的气候。”

小神农认真地听着，听完之后点了点头，感叹道：“没想到这样不起眼的一株草也是一种重要的草药。”

朱有德站起来说：“没想到的事情还少吗？我记得有人以前把野棉花当作星星，把南酸枣当做枣子摘回来准备吃，把紫金牛当做是一种长得像牛一样的紫色的草……”

小神农一听，知道朱有德又在取笑他呢，连忙打断师傅的话，

说：“我一定会好好学习的，师傅！以后一定不会再发生这样的错误，对于这样的错误，我表示……”

朱有德知道小神农又要开始表决心了，连忙说：“师傅明白了，你好好学习就是了。”

说完，他满意地拉着小神农一起进了厨房。

羊齿天冬——疗效出奇的“假天冬”

“小神农哥哥！”不用回头，小神农便知道是邻居王二婶的孙子子恒在叫自己了。

“子恒来啦，又来奶奶家玩吗？”小神农微笑着问道。

“对呀对呀！”子恒喘着粗气说道，“小神农哥哥，你手里拿的是什么呀？”

小神农看了看自己手里的植株说道：“这是羊齿天冬。”

“羊齿天冬？是菜吗？”子恒疑惑地问。

“当然不是，它是一种草药。这羊齿天冬又叫羊齿天门冬，除此之外，它还有一大堆别名如峡州百部、千打锤、土百部、七姐妹、天

门冬、假天冬、飞天蜈蚣、铁松、岩鸡、九斤子、山天冬、土寸冬、小天冬、广麦冬、滇百部、小百部、滇天冬、月牙一枝蒿、儿多线苦、一窝鸡、一窝羊、九重根等。”

“我的天啊，一个草药竟然有这么多名字！”子恒不禁感叹道，“既然羊齿天冬有这么多名字，那么它的药性也一定非常厉害吧？肯定有毒！”

“你错了。”小神农耐心解释道，“一种草药的药性跟它有多少名字是没有关系的，同时这也不是判断一种草药是否具有毒性的标准。这羊齿天冬味甘、淡，性平，有润肺止咳、杀虫止痒之效，因此常用于久咳、肺脓肿、百日咳、咳痰带血、支气管哮喘等疾病。”

“既然这样的话，羊齿天冬是如何分辨的呢？”每当提到关于草药的事情，子恒都非常感兴趣。

“羊齿天冬是直立草本植物，高50～70厘米。根都是成簇的生长，并从底部开始或者在距离底部几厘米的位置形成膨大的纺锤形，这部分一般大小不一，长2～4厘米，直径5～10厘米。茎几乎是平滑的，分枝上一般有棱，有的会覆盖着状似软骨的质齿。叶子一样的枝每5～8枚就能成簇，像一把扁平的镰刀，叶面上长着中脉，叶子底部没有刺，有些像鳞片。花属于腋生的，大部分是淡绿色，其中有的会带点紫色。花梗比较纤细，花被长2.5毫米，花丝没有贴着花被片生长，花药是卵形的，长0.8毫米。雌花和雄花大小相等，不过也有少见的会略小一些。花谢后，结出浆果，直径5～6毫米，浆果一般长2～3颗种子。听清楚了吗？”小神农轻声问道。

“当然！我都记住了！”子恒咧开嘴笑了。

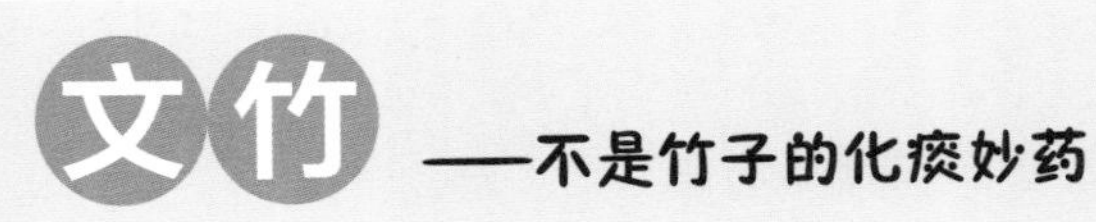
文竹——不是竹子的化痰妙药

王二婶要外出几天，于是将孙子子恒托付给朱有德照顾。小神农正常的学习生活被打破，但也因为子恒的到来而增添了许多乐趣。

“小神农哥哥，我帮你吧！”子恒蹲下来帮助小神农一起整理草药。

“好啊！”小神农笑了笑。

“小神农哥哥，文竹是什么呢？”子恒突然问道。

“文竹啊！文竹，我想想。”小神农被问得措手不及，所以想了想才说，“文竹最高能长到几米，它的根部稍微有些肉质感，茎是丛生的，比较柔软。文竹的茎很平滑，有许多分枝。叶子一样的枝一般以10～13枚成刚毛状的簇，长着三个棱，长4～5毫米。像鳞片样的叶子底部长有不是很明显的刺状距。花一般以1～3朵一起腋生，花大多是白色，而且花梗比较短。花被片长7毫米。结出的浆果直径6～7毫米，果实成熟后，是紫黑色，而且有1～3颗种子。”

“原来它是这样的。”子恒一边整理草药一边说道。

“怎么想起问文竹？”小神农问道。

“奶奶的院子里种了好多文竹。她老人家常说，文竹是好东西，既可以观赏又可以入药，但是我问奶奶文竹有什么功效，她又说不出个所以然来。”说着子恒双手托起脸颊，好像在思忖着什么。

“这文竹确实可以入药，其味苦，性寒，具有润肺止咳、凉血通淋、利尿解毒之效。它主治阴虚肺燥、咳嗽、咯血、小便淋沥等症状。”小神农解释道，“《药性论》中说它‘主肺气咳逆，喘息促

急，除热，通肾气，疗肺痿生痈吐脓，治湿疥，止消渴，去热中风，宜久服’。而且，《别录》中也有记载，说它‘保肺气，去寒热，养肌肤，益气力，利小便，冷而能补’。”

“原来是这么回事，我又学到了新的知识，真是太开心了！”子恒高兴极了。

大百合——观赏价值高又能入药的花

这天，小神农像往常一样来到后院打理草药，不同的是，身边多了个子恒。自从子恒被托付给朱有德后，小神农就像多了一个影子一样。

“小神农哥哥，这是什么呀？”子恒指着墙角的花儿问道。

“这是……大百合。”小神农顿了一下说道。

“大百合？这大百合是什么植物？”子恒嘀咕道。

“大百合是百合科大百合属植物，它有卵形的小鳞茎，高3.5～4厘米，直径1.2～2厘米，晾干后是淡褐色。它的茎是直立向上生长

的，中间是空心的，高1~2米，直径2~3厘米，并且没有长毛。叶是纸质，叶脉是网状脉；底部生长的叶子大部分是卵状心形，有的更接近宽矩圆心形；茎上生长的叶子是卵状心形，叶柄长15~20厘米，向上生长的过程中会逐渐变小，越靠近花序，它们的形状越是像船。”小神农轻轻抚摸着大百合的花瓣，说得很认真。

“听着感觉像一种草，它会开花吗？”子恒听得也相当投入。

“当然了，它的花是总状花序，一般10~16朵成簇生长，不过没有苞片，花是白色的，极像狭长的喇叭，里面的条纹是淡紫红色。花被片是条状倒披针形，长12~15厘米，宽1.5~2厘米。雄蕊比较扁平，长6.5~7.5厘米，花丝在向下生长的过程中会渐渐扩大。花药是长椭圆形，子房是圆柱形。花柱长5~6厘米，一般柱头比较膨大，稍微会分裂成3个裂片。结出的蒴果就像个球，顶部长着1个尖尖的小凸起，底部上有粗短不同的红褐色果柄。它的种子是红棕色的扁钝三角形，长4~5毫米，宽2~3毫米，并且果实由淡红棕色的半透明膜质翅包围着。”

“那，那这大百合能干嘛呢？能吃吗？”子恒天真地问。

“哈哈哈，想不到你这个小家伙也是个贪吃鬼。这大百合用来观赏很不错，但它的鳞茎也可以入药。因为它味淡，性平，具有清热止咳、宽胸利气之效，常用于治疗肺痨咯血、小儿高热、咳嗽痰喘、胃痛及反胃、呕吐等症。”小神农耐心解释道。

“原来是这么回事！这下我就明白了！”子恒满足地笑了。

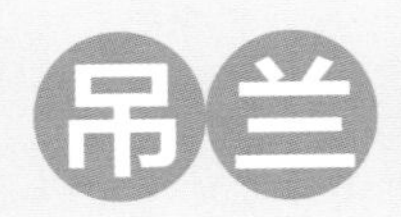

吊兰——散瘀消肿解毒热的盆栽

“好无聊哦！小神农哥哥，我们去街上玩吧！”子恒嘟着嘴对小神农说。

“可以是可以，不过你要答应我绝对不乱跑。”小神农认真地说。

“我保证，不不不，我发誓我肯定不乱跑！”子恒伸出右手的3根手指认真地向小神农保证。

“走！我们玩去！”说罢，小神农便带着子恒出了家门。

一路上，子恒就像一只撒欢的小兔子一样，一蹦一跳的。

“小神农哥哥，你看那是什么？”子恒指着不远处的绿色植物

问道。

小神农眯着眼睛看了看，才说："如果我没看错的话，那应该是吊兰。"

"吊兰！我知道！我听奶奶提起过！"子恒显得有些兴奋。

"那你能说出吊兰的特征来吗？"小神农居然像师傅考自己一样，考起子恒来。

"唔……这个……"子恒突然变得结巴起来。小神农却很老练，像师傅一样，对子恒说："慢慢想想，别着急。"

"哦，想起来了，奶奶曾经说过吊兰属于宿根草本植物。它有很短的茎，根稍微有些肥厚。剑形的叶子，长10～30厘米，宽1～2厘米，朝两边生长的时候会慢慢地变狭窄。叶子生长在底部，会长成狭长的条形，有的更是条状披针形。它有兰花一样的柔韧性，成熟后的植株偶尔会长出走茎来，这也是吊兰的最大特点。这走茎长30～60厘米，顶端会均匀的长出花葶，样子是比叶子长的小植株，有时能长到50厘米，通常接着就会像葡萄枝一样，在顶部聚集成一簇簇的或者长成幼小的植株。”子恒越说越带劲，小神农也出神地听着。

“它的花一般是白色，经常是2～4朵成簇，排成比较疏散的圆锥花序，有的是总状花序，在一起生长。花梗长7～12毫米。花被片上长有3条脉。雄蕊要比花被片短一些，花药比花丝短，是矩圆形，开裂之后经常卷曲着。结出的蒴果是三棱的扁球形，长5毫米，宽8毫米，每个果子长着3～5颗种子。”子恒看小神农不说话，便问，“我说得对吗，小神农哥哥？”

“当然！我们子恒真是厉害呢！”小神农由衷地称赞了子恒一番。

“不知道这吊兰除了看还能干嘛？”子恒嘀咕了一句。

“其实吊兰又叫折鹤兰，虽为盆栽，但也可以入药。它味甘、微苦，性凉，具有散瘀消肿、化痰止咳、清热解毒之效，可治疗痰热咳嗽、骨折、痈肿、跌打损伤、痔疮、烧伤等症。同时，还适用于治疗小儿高热、肺热咳嗽、吐血、跌打肿痛病症呢。”小神农为子恒解释道。

“真想不到这种植物还可以入药。”子恒不禁感叹起来。

“当然啦，所谓人不可貌相，草药也是不可貌相的呀！”小神农笑着拉起子恒的手，朝前面走去。

万寿竹——除风湿、治咳嗽的草药

每次上街，小神农都要吃一串糖葫芦，这次当然也不例外。于是，小神农与子恒人手一串糖葫芦，两人悠闲地走在街上。

“小神农哥哥，你知道什么是万寿竹吗？”子恒边吃边问。

“万寿竹？怎么突然想起问这个？”小神农反问道。

“看到刚才的吊兰，突然想起我奶奶跟我说起过万寿竹。不过只是提了一下名字，所以我至今也不知道那是什么植物。”子恒好奇地说。

“师傅给我讲过，万寿竹又叫做白龙须，它属百合目，因此是百合科植物。”小神农一边吃糖葫芦一边说着，“万寿竹有结节状的

根状茎，横向生长的质地比较硬。根是肉质的，又粗又长。它的茎高50～150厘米，直径1厘米左右，茎的上半部分长着很多叉状分枝。叶子是纸质；大部分是披针形或狭长的椭圆披针形，顶端会逐渐变尖，底部接近圆形；长着清晰的3～7条脉络，叶背面的经脉上和周边有类似乳头的凸起；叶柄特别短。花是伞形花序，一株会在短枝的顶上开出3～10朵花，它们一般是在顶端或者上面和叶子一起成对生长。花梗稍微粗糙一些，长2～4厘米。花是紫色，花被片以倒披针形斜向生长，顶端逐渐变尖，四周长着乳头样的凸起。雄蕊藏在里面，花药长3～4毫米，花丝长8～11毫米。结出的浆果直径8～10毫米，果实内会有2～3颗种子。它的种子是暗棕色，直径5毫米左右。”小神农一口气将万寿竹的特征全说了出来。

“我还以为这万寿竹长得像竹子一样，所以才叫万寿竹，原来不是这样的。”子恒听得早忘了吃糖葫芦，“那这万寿竹可以做什么用呢？可以吃还是可以看？”

“万寿竹既是观赏植物，它的根茎又可以入药。而且它是用于治疗肺热咳嗽、虚劳损伤、风湿疼痛、手足麻木、小儿高热、烧烫伤、毒蛇咬伤等症的好手，可厉害呢。”小神农似乎很喜欢这味药材。

“你是说万寿竹是一味化痰止咳的良药？”子恒不敢相信自己的耳朵。

“没有错！它味甘，性平，《分类草药性》中就说它‘治虚咳，清气火’，《草木便方》还说它‘治劳伤气血虚损，耳鸣，清火化痰，消气肿痞满积聚’。”小神农说完，两个人边继续吃糖葫芦，边继续向前走去。

醉鱼草——祛风解毒的“紫色麦穗”

这日，小神农正在整理着药柜里的草药，不小心将一个抽屉打翻了，里面的药材全部洒在了地上。

“出什么事了？”朱有德忙从院子里赶了过来。

“没……没事，没事……”小神农心虚起来，声音也越来越小。

“哎呀，怎么这么不小心？受伤了没有？”朱有德关切的地询问道。

“师傅，您放心，我没受伤。”小神农一边捡着草药一边说道，“师傅，这草药叫什么名字呀？”

“它啊！叫醉鱼草，是一种可以祛风解毒的草药。要是谁不小心把骨刺卡在喉咙里，或者是肚子里有虫，都可以用醉鱼草来治疗呢！它味辛且苦，性温，《湖南药物志》中说它，‘消风去湿，行气化

痰，解毒止咳。治腹痛，腹泻，痈肿，关节痛。’”朱有德为小神农解释着。

“原来如此。”小神农认真地点了点头，“可是师傅，我到哪里才能见到醉鱼草呢？它的外形特征是怎样的呢？”小神农歪着小脑瓜思忖道。

“这醉鱼草啊！它生长在南方，我们这里是见不到的。这种植物通常高1～3米。它的茎外表为褐色，有棱生于小枝上，幼枝、叶柄、花序等处长有茸毛。叶片的形状可分为椭圆形和卵形，且为对生，并有波状齿或全缘生于边缘处。叶片的正面为深绿色，背面为黄绿色。醉鱼草具有6～8条侧脉，叶片变干后，侧脉随之凹陷。”

“那它的花呢？醉鱼草也会开花吗？”小神农迫不及待的地追问道，只要说到关于草药的事情，小神农都会变得格外精神。

“醉鱼草在每年的4～10月开花，花期较长。它的花生于顶端，并聚集为穗状聚散花序，花朵为紫色，远看有点像紫色的麦穗，并能散发出浓郁的香气。它具有线形的苞片、钟形的花萼以及宽三角形的花萼裂片。蒴果长有鳞片，但并不具毛，其形状分为椭圆状和长圆状两种，通常有蒴果存于花萼内。它的种子形状较小，为淡褐色。”朱有德耐心地讲解着。

“听您这样一说，它开出的花肯定很美丽，什么时候我才能到南方去，亲自看看醉鱼草啊？”小神农不禁感慨道。

“会有那么一天的！”朱有德摸着小神农的脑瓜，笑着说道。

“师傅，我打翻了抽屉，您非但没说我，还耐心地为我讲解关于草药的知识，您可真是天底下最好的师傅！”小神农突然话锋一转，这令朱有德有些吃惊。

“没关系的，抽屉打翻了再放回原位不就好了么！我也有手滑打翻抽屉的时候呢！”朱有德宽慰小神农道。

白屈菜

——益于肠胃的“小黄花”

这天一早，小神农起床后，却一直没看见朱有德的身影。小神农不知道师傅的去处，只得乖乖在家里等着师傅归来。

“师傅，这一大早您上哪里去了？怎么现在才回来。”小神农见师傅回来了，关切地问道。

“我去集市上转了转，本想叫你一起去的，但见你睡得很香，便没叫醒你。”朱有德解释道。

“近来也不知怎么了，总是睡不醒……”小神农挠着脑瓜，很是苦恼的模样，“呀，师傅，您身后藏着什么好东西呀？”小神农这时才发现，朱有德的双手一直背在身后。

“你可认识这种植物？”朱有德将身后的植株拿给小神农看。

“圆锥形的粗壮根，并具有侧根，外表是暗褐色的。茎分枝较多，节上生有柔毛。基部……”小神农略微停顿了一下说，“基部有少量叶片，叶片的形状有些为倒卵状长圆形，有些则为宽倒卵形，有些具深裂，有些却具有浅裂。”小神农摘下一片叶子仔细地观察，“叶片正面为绿色，反面较白。而茎生叶片比基部的叶小。我好像在哪里见过这种植物。”

“哦！是吗？”朱有德装作惊讶的表情，“好好想想，你到底

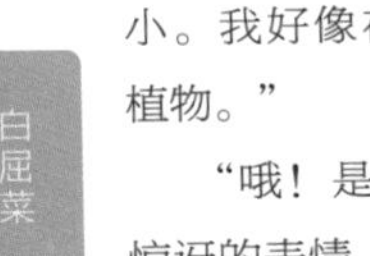

是在哪里见过呢？它又叫什么呢？”

“啊！我想起来了！它就长在路边。我没记错的话，它是一种草药，好像叫屈……屈白菜？”小神农兴奋地回答道。

“哈哈。”朱有德不禁大笑起来，“它确实是一种草药，但是它叫白屈菜！”朱有德敲了下小神农的小脑瓜。

“啊！白屈菜！对！没错！是叫白屈菜！可是师傅，这白屈菜会开花吗？”小神农接着又问道。

“会啊，它的花期为4～9月，开花时也一并结出果实。白屈菜的花数较多，形成伞形花序，花瓣为黄色，形状为倒卵形，具全缘，它还具有纤长的花梗以及卵圆形的萼片，其雄蕊具丝状的黄色花丝，子房则为线形，且不生毛。白屈菜生有狭圆柱形的蒴果，具短柄；它还具有极小的卵形种子，外表光亮且呈暗褐色。白屈菜是一种多年生的草本植物，最高可长至1米。”朱有德详细地讲解着。

“既然这白屈菜是一种草药，那它能治什么病呢？”小神农继续问道。

“白屈菜味苦，性凉，归肺、心、肾经。白屈菜不仅可以内服，还可外用。它内服可以治疗胃炎，肠炎，腹痛，拉痢疾，黄疸，百日咳等；外用则可治疗蛇虫咬伤。《四川中药志》写道，‘治肝硬化，皮肤结核，脚气病，胆囊病及水肿黄疸。’”朱有德一口气说着。

小神农认真点着头。

“今天天气好，我们赶紧把白屈菜清洗干净后晾晒起来，它可是全草都能入药的植物呢！”朱有德说道。

“我知道啦！我这就去！”小神农开心地应道。

卷丹——养阴润肺的特效药

为了累积更多的知识，小神农每天都会起早背医书。将书中药物理论解透之后，还会与师傅到山上寻找草药，以加强实践。只不过，这几天子恒在这里，他们已经好几天没上山了。所以，他只能多背书，反复理解书中的意思了。

“卷丹是百合科的百合属植物，它有着宽球形鳞茎，高3.5厘米，直径4～8厘米。鳞片全部是白色的宽卵形。茎的表面带有紫色条纹，同时还覆盖着白色的绵毛。叶子散向各方生长；大部分是矩圆的披针形，有的就是披针形；长6.5～9厘米，宽1～1.8厘米；正、反两

面基本上没有毛，只在顶部长着白毛，周边长着貌似乳头的凸起；叶子上有5～7条脉络，上半部的叶腋处长着珠芽。一般开3～6朵花，有的会更多。大部分的苞片是披针形，顶端是钝状，覆盖着白色绵毛。花梗是紫色的，同样长着白色绵毛。花向下垂着生长，花被片披针形，反卷着生长，整朵是橙红色，带有紫黑色斑点。外轮的花被片长6～10厘米，宽1～2厘米。内轮花被片相对稍宽，蜜腺两侧长着像乳头样的凸起，也有的长着流苏样的凸起。花丝都是淡红色，没有毛，花药是矩圆形，子房是圆柱形，花柱长4.5～6.5厘米，柱头有些膨大，分裂成3个裂片。结出的蒴果是狭长卵形的，长3～4厘米。”

躺在床上的子恒朦朦胧胧地睁开双眼，他就知道，这是小神农哥哥在院子里背书呢。自从借住在朱有德家之后，自己几乎每天都是在小神农的背诵声中醒来的。

“小神农哥哥，你今天背的什么呀？感觉好长一大段。”子恒揉着眼睛说道。

“确实是够长的，因为看不到实物，我只好背得仔细些。不然回头答不出师傅的问题，会惹他生气的。”小神农微笑着说。

“你说的这卷丹到底有什么功效呢？”子恒走到小神农身边，向他手里的书瞄了一眼。

“卷丹是样好东西，不但花开得好看还能食用，而且入药也一样功效强大。它有养阴润肺、清心安神之效，所以通常用于治疗失眠多梦、阴虚久咳、虚烦惊悸、痰中带血、精神恍惚等症。”小神农解释道。

“原来是这样，看来我要吃点卷丹才行，这样就不会觉得迷糊了。”子恒反复用手揉着眼睛，显然没有睡醒的样子。

“快去洗脸吧！用冷水一洗，比吃卷丹还有效呢。”小神农被子恒可爱的样子逗得哈哈大笑。

细叶百合——清心·安神之“草药花”

晌午时分，吃过午饭的小神农与子恒躺在院子里的木凳上晒太阳，二人一边吹着口哨，一边高高跷着二郎腿，好一个悠然自得。

“小神农哥哥，给我讲一种草药吧？好无聊哦。”子恒先开口说道。

“好啊！讲个什么呢？那就细叶百合吧！”小神农闭着眼睛说。

“细叶百合？之前说过大百合，名字这么像，难道它们是亲戚不成？”子恒打趣地说。

“别瞎胡闹，听好了。”小神农虽然闭着眼睛，但是神情却很认

真，“细叶百合又叫山丹，它属于百合科百合属，是多年生的草本植物。细叶百合有卵形或圆锥形鳞茎，高2.5～4.5厘米，直径2～3厘米。鳞片是矩圆形或长卵形，颜色大多是白色。茎高15～60厘米，茎上长着乳头状的小凸起，有的还带紫色的条纹。叶子全都是条形的，分散生长在茎的中部，叶中脉的下面特别突出，周边和茎一样也长着乳头样的凸起。”

小神农说着，侧头看了看子恒，确认他没有睡着后，才继续说道：“细叶百合的花大多是单独开或者是由几朵排成总状的花序；鲜红色，大部分的花不带斑点，只有很少部分长着斑点；都是向下垂着生长。花被片反卷着生长，蜜腺两侧长着乳头样的凸起。花丝

长1.2～2.5厘米，没有毛，花药大部分是黄色长椭圆形，子房是圆柱形，花柱长1.2～1.6厘米，柱顶有些膨大，直径5毫米，分裂成3个裂片。结出的蒴果是矩圆形，长2厘米，宽1.2～1.8厘米。”

“我感觉百合属的植物几乎都长得一样，这不是很容易混淆吗？”子恒彻底听晕了。

“所以，才要经常去山上采集实物，以加强分辨能力呀。”小神农笑起来，自己初学药材的时候，也有这种心情呢。

“那这细叶百合的功效是什么呢？是不是与大百合、卷丹等相似？”子恒两眼看着天空说道。

“嗯，你已经对百合属植物很了解了，它们确有相似之处。比如这化痰止咳的功效，细叶百合可取其鳞茎入药，其味甘，性凉，无毒，可以养阴润肺、清心安神，所以用它治疗阴虚久咳、失眠多梦、痰中带血、精神恍惚之症很有效呢。”

“果然是亲戚呀，连功效都差不多。”子恒说着一下笑出声来。

“真是个淘气鬼！”小神农也在一旁跟着笑了。

山麦冬 ——治疗虚劳咳嗽的草药

最近的天气阴晴多变，加之气温降低，子恒因此感染了风寒，只能抱病在床。于是，小神农就此负担起了照顾子恒的任务。

“起来喝药了。”小神农轻轻推开房门，走到子恒的床边，将他轻轻扶起来。

“小神农哥哥，这是什么药啊？”子恒的声音虚弱，略带沙哑。

“这是山麦冬。”小神农轻声说，“不但不苦，而且还治病，可管用啦。”

子恒欲言又止，显然是因为身体虚弱，所以没力气说话了。不过，小神农早从他的神情中看出了他的意思。一边扶着子恒把药

喝下，一边说："我知道你要问什么，现在就给你说说山麦冬的特征。"说着，小神农坐到子恒身边。

"山麦冬是多年生的常绿草本植物，植株有时是丛生。它的根稍微粗大，直径1～2毫米，有时能长出很多分枝，在接近末端的位置一般会膨大成肉质小块根，有的是矩圆形，有的是椭圆形或者纺锤形。它的根状茎短一些，大部分是木质，而且都有地下走茎。叶子长25～60厘米，宽4～6毫米；顶部是急尖的，有的是钝状，底部经常被褐色的叶鞘包着；叶子上面通常是深绿色，背面是粉绿色；长着5条脉，其中中脉比较明显；周边长着许多细细的锯齿。花一般是以3～5朵成簇开在苞片的腋内，苞片是非常小的披针形，属于干膜质。花梗长4毫米，中间朝上接近顶端的位置都有节。花被片是矩圆形，顶端是钝圆的；花的颜色一般是淡紫色，也会有淡蓝色的。花丝长2毫米，花药是狭长的矩圆形，子房接近于球形，稍微有点弯曲，花柱的柱头不是很清晰。它的种子接近于球形，直径在5毫米左右。”小神农一口气将山麦冬的特征都说了出来。

子恒紧锁的眉头也随着小神农的解释而变的舒展：“那山麦冬也是治疗咳嗽的药，是吗？”

“确实是这样。山麦冬味甘、微苦，性微寒，归心、肺、胃经，有养阴生津、润肺清心之功效，所以可以治疗肺燥干咳、虚劳咳嗽、头痛身热、心烦失眠、津伤口渴、肠燥便秘等病症。”小神农仔细讲着山麦冬的药性。

“小神农哥哥，谢谢。我生病了，你要给我煎药，还要给我讲药

材，真是麻烦你了。”子恒用真挚的眼神看着小神农。

“不用客气！我只是将我知道的告诉你而已。”小神农笑了笑，“快躺下好好休息吧！”小神农像个小大人一样，为子恒掖好了被角，才走出房去。

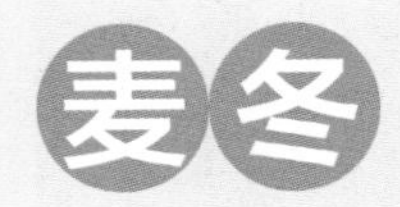

麦冬——入胃以养胃液之草药

“小神农哥哥……咳咳……”还未说完，子恒便咳嗽了起来。

“病还没有痊愈，你就跑出来了。”小神农用略带责备的语气说。

“我一个人躺在屋子里好无聊，所以才跑出来的。”子恒委屈地说。

“你现在回去多添件衣服再出来，不然一会儿病情又严重了。”小神农一边整理草药一边严肃地说。

等到子恒再次出来时，小神农已经将药拿到药房了。

“这不是山麦冬吗？我这两天只喝它，还没看到过实物呢！咳

咳……”子恒不自觉地提高了音量。

“你要记住你是个患者，不要大呼小叫的，小声说我完全听得到。”小神农不满地说，“再说，这可不是你喝的山麦冬，它叫麦冬。”

“啊？麦冬？山麦冬？这有什么区别吗？我都糊涂了！”子恒嘟起了嘴。

“当然有区别啦，听我给你讲讲麦冬的特征，你就明白了。”小神农说着，拉子恒坐到旁边的椅子上，慢慢说起来：

“麦冬属于百合科沿阶草属，是多年生的常绿草本植物。它的根比较

粗壮，中间以及接近末端的位置一般都膨大成椭圆或者是纺锤形小块根，这和山麦冬有些相似。不过其小块根是淡褐黄色，长1～1.5厘米，有的更长，宽5～10毫米。地下走茎略微细长，和山麦冬一样有节，节上长着膜质的鞘。它的茎是很短的禾叶形，长10～50厘米，也有部分比较长，叶面分布着3～7条脉络，周边长着比较细的锯齿。它的花葶长6～15厘米，是总状的花序。花单独生长，也有的是成对地开在苞片腋内，苞片披针形，顶部逐渐变尖，最底部的长7～8毫米。花被片一般是披针形，长5毫米，颜色大多是白色，也有淡紫色的。花药是三角披针形，花柱非常粗壮，宽1毫米左右，底部比较宽阔，向上生长时越来越窄。它的种子是球形，直径7～8毫米。”

小神农说着，便拿出随身携带的手帕为子恒擦了擦鼻涕。

“鼻涕流出来都不知道。”小神农打趣着子恒，子恒却傻傻地笑了起来。

“那这麦冬的功效与山麦冬一样吗？”子恒继续问道。

“有相似之处，但不能说完全一样。因为麦冬也味甘、微苦，其性微寒，归胃、肺、心经，具有益胃生津、养阴润肺、清心除烦的功效，尤其适用于阴虚痨嗽、肺燥干咳、喉痹咽痛、内热消渴、津伤口渴、肠燥便秘等症。不过，《医学衷中参西录》中还说过，它‘能入胃以养胃液、开胃进食，更能入脾以助脾散精于肺、定喘宁嗽’，可见，它比山麦冬的功效还要多一些呢。”小神农向子恒解释道。

“我明白了！咳咳……”

“不要说话了，快回去休息，我该去给你煎药了。”小神农命令道。

子恒点了点头，乖乖地回房间去了。

沿阶草——能治病的“韭菜”

“子恒，快来帮帮我！”小神农站在门外大声地叫着。

“来了来了，我来了！”子恒闻声迅速地跑了出来，“小神农哥哥，你怎么拿这么多韭菜？”子恒一脸疑惑地看着地上的“韭菜”。

“先别说话，快来帮我抬进去啊！”小神农喘着粗气说道。

费了好大的力气，两个人才将那些“韭菜”弄进院中，并一一整理好。

“小神农哥哥，你还没回答我呢，这么多韭菜做什么用啊？”子恒依旧疑惑着。

“这才不是韭菜！这是沿阶草！沿阶草啊！”小神农不禁重复了两遍。

“沿阶草？这是草啊，我还以为是韭菜呢。可是，这沿阶草到底是什么东西啊？你弄回来做什么呢？”子恒饶有兴趣地问道。

“当然是入药啦，这本就是一味草药呀。”小神农擦着额头上的汗说。

“这也是药呀，你快帮我普及一下它的知识吧。”子恒恍然大悟。

“沿阶草和麦冬一样，也属于百合科植物，是多年生的草本地被植物。它的根特别纤细，接近末端的位置偶尔会出现膨大成比较小的纺锤形的肉质块根。它的地下走茎，长的直径有1～2毫米。叶子在底部丛生，叶片是向下垂着生长的禾叶形，四季都不会枯萎。它也是能开花的，花葶比叶鞘稍微短一些，长6～30厘米。花是总状花序，有的是白色，有的是淡紫色，一般可由20～50朵成簇生长。花被两轮排列，分离成6片。花谢后，会结出球形的浆果，果实成熟后，都会变成蓝黑色的。”

“原来是这样。那它是用根还是用叶入药呀？”子恒追问。

“沿阶草全株均可入药，你没看我是连根一起拔的吗？”小神农说。

“那它有什么功效呢？是止咳还是促进食欲？”子恒还有疑问。

“都可以哦，它与麦冬功效也相近呢。只不过，它是味甘的药物，可治疗咯血、伤津、心烦、食欲不振等症。”小神农认真地说。

“想不到这‘韭菜’还有如此功效！”子恒故意说道。

“韭菜韭菜，我看你这小脑瓜里除了吃就没有别的了！”小神农敲着子恒的额头，再次纠正他。

“我知道它是沿阶草，故意逗你呢。现在整理完了草药，我们可以去吃紫藤糕了吗？”子恒抿着嘴笑起来。

“好吧，我也饿了。”小神农也笑起来。

吉祥草——固肾、接骨不可少的中草药

下午的时候，小神农带子恒到山坡上去转了一圈，傍晚时分才从山上下来，二人的药筐里放满了各种草药。一回到家，两个人来不及吃饭，便开始整理草药了。

“这是平贝母，这是羊齿天冬，大百合，韭……不对，是沿阶草。”子恒一边给草药分类一边嘀咕着。

“那才不是沿阶草！它叫吉祥草！”小神农在一旁纠正道。

“啊？吉祥草？怎么又多出来一个吉祥草？这也是入药的吗？”子恒的眉头紧锁在了一起。

“当然要入药呀，它的功效还很不错呢。”小神农似乎挺喜欢这

味吉祥草。

“小神农哥哥，你快给我总结一下它的特征，我要记住它才行。”子恒年纪小，自然爱向自己崇拜的人学习。他见小神农喜欢这味草药，便也开始好奇了。

小神农笑起来，开始细细给子恒讲解吉祥草：“吉祥草是多年生的常绿草本花卉。它的茎通体绿色，匍匐生长，分成很多节，节上能生出须根，而且每节都留有残存的叶鞘。在茎顶或者是茎节处，叶子成簇生长，大部分叶子是条形，有的是披针形；顶端逐渐的变尖，向下生长渐渐狭长成柄；它的颜色是深绿色。它在7～11月开花结果，花葶长5～15厘米。花是穗状花序，有的只有雄蕊。苞片是卵状三角形的膜质，有淡褐色的，也有紫色的。花被片可以合生成短管状，上面分裂成6个裂片，裂片是矩圆形，长5～7毫米，顶部是钝状，有些偏向肉质。花谢之后结出球形浆果，直径6～10毫米，果实成熟后是鲜红色。”

“这就是吉祥草啊！那是不是可以给人们带来吉祥？”子恒眨巴着眼睛问道。

“这个我就不知道了，但是吉祥草味甘，性平，有润肺止咳、固肾、接骨之功效，用它治疗肺结核、风湿关节炎、跌打损伤、咳嗽咯血、哮喘、骨折都可以，你说厉害不厉害？”小神农认真地问子恒。

“嗯，真厉害，但我觉得还是用它化痰止咳比较好，这样的病最多见，有了吉祥草就全解决了。”子恒点着头说。可还没等小神农开

口，他马上就转变了话题："好饿啊！小神农哥哥，我们到底什么时候能够整理完？"

"那我们先去吃饭吧！之后再接着整理。"小神农一听也马上感觉到饿了。

"好啊，好啊！吃饭去咯！"子恒大喊着一溜烟朝厨房跑去。

四块瓦 ——活血散瘀之利药

吃过饭，小神农与子恒继续整理草药。虽然忙碌了一天，身体非常乏累，可是二人的精神却丝毫没有受到影响。

“这……这……这草药我认识！我认识！”子恒突然大叫起来。

小神农被子恒突然的喊声吓了一跳，回头看了看那味草药，便说：“那你说说这是什么药草？它的具体特征是什么样的呢？”

“这是四块瓦！四块瓦是多年生的草本植物，高25～55厘米。它的根状茎上长着很多须根。它的茎是直立向上生长的，一般情况下不会有分枝，叶子是2片鳞状成对在下面的节处生长。一般有4片叶子长在茎的顶端，多是轮生的，大部分的形状是宽椭圆形，也有的

是倒卵形；属于坚纸质；长8～15厘米，宽4～10厘米；顶端逐渐变尖，底部是宽楔形；周边长着锯齿，正、反两面都没有毛。叶子上有6～8对侧脉，叶的形状是鳞状宽卵形，也有的是三角形。”子恒说着，得意地看一眼小神农，“我说得对不对，小神农哥哥？”

“说得没错，可是你还没说它的花与果实呢。”小神农提醒着。

“别急呀，听我接着说。4～5月是四块瓦的花期，花分为顶生或者腋生的两种穗状花序，一般是1～5枚聚集生长。苞片是宽卵形的，也有的接近半圆形，几乎不会出现分裂。花基本上都是白色，子房是卵形。结出的核果接近于球形或者倒卵形，长3～4毫米，一般都是绿色。怎么样？我说的没错吧？”子恒笑着问道。

“没错！完全正确！那么四块瓦的药性呢？”小神农继续追问。

“四块瓦全株均可入药，其味辛，性温，有毒，功效在于解毒消肿、活血散瘀，可以治疗疼痛、经血不调、风寒咳嗽、跌打滂伤、风湿性关节炎、风湿麻木、细菌性痢疾等症。”子恒年纪虽小，却对四块瓦的功效了若指掌。

“不错啊！我们子恒有了不小的进步呢！”小神农发自肺腑地夸奖起子恒来。

“小神农哥哥你这样说，我都不好意思了！”子恒红着脸低下头去。

“既然子恒全都答对了，那就奖励你吃一块桂花糕吧！“小神农笑道。

“桂花糕？真的吗？真是太好了！我最喜欢了！”子恒兴奋地大叫着。

“整理完草药我就拿给你吃！”小神农说道。

“好！”子恒应道。

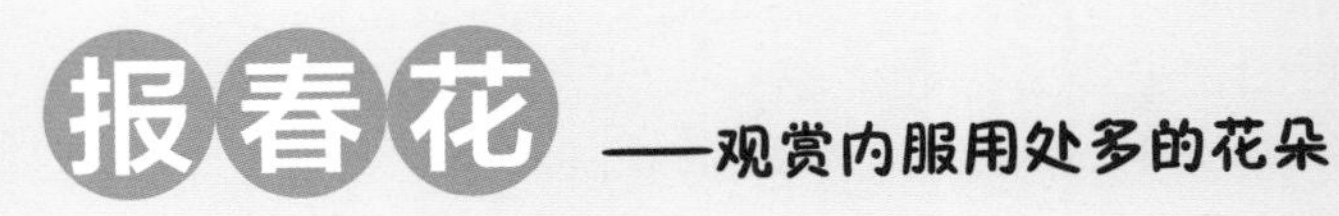

报春花——观赏内服用处多的花朵

这天一早，小神农穿好衣服、洗漱完毕就到后院打理草药，因为一连几天，小神农都忙于照顾子恒，很少到后院。当他踏进后院的一刹那，不禁被眼前的景象惊呆了：满枝的报春花，开得郁郁葱葱，好看极了。

“哇！我的天啊！真好看！”这时，子恒的声音在小神农的身后突然响起。

“人吓人是会吓死人的！”小神农被吓了一跳，转身对子恒说道。

“我是因为好奇你要干什么，所以才悄悄跟着你来的。可没想到被这满树的花给吸引了，才情不自禁地叫出来了嘛。”子恒略带委屈地说。

“既然你来了，那就一起打理草药吧！”小神农说罢便开始为草药浇水。

“小神农哥哥，这是什么花啊？可真漂亮！我从来都没见过呢！”子恒问道。

“这叫报春花！”小神农解释道，“报春花是2年生的草本植物，一般情况下覆盖着粉，只有很少的植株没有粉。大部分的叶子也是成簇生长，叶片卵形，有的近似于椭圆形或者矩圆形；长3～10厘米，宽2～8厘米；顶部是圆形，底部是心形或截形；周边有圆齿状的浅裂，有6～8对裂片同时分布着不规则的小牙齿；晾干后呈膜质，表面上稀疏地散布着柔毛，有的几乎没有毛；下面在沿中肋及侧脉的位置覆盖着毛，有的也是几乎没有毛，可以清晰地看到下面生长的中肋和4～6对侧脉。叶柄长2～15厘米，新鲜的时候是肉质，长着狭窄的翅，覆盖柔毛。”

小神农看到子恒听得非常认真，于是继续说道：“报春花有2～6轮的伞形花序，每轮都有4～20朵花组成。苞片是线形，有的接近于线状披针形，一般也是分成有粉和无粉两种。花梗比较纤细，花萼是钟状，覆盖着乳白色的粉，裂片是三角形的，顶端是锐尖的。花冠有粉红色的，也有淡蓝紫色或者白色；花冠筒长4～6毫米；花冠檐的直径为5～15毫米；顶部分裂成2个深深的裂片，裂片是阔倒卵形。它结出的是球形蒴果，直径3毫米。”

“那这报春花可以做成食物吗？还是只可以用来观看？”子恒问道。

“报春花可以用来观赏，它的全草可以入药，其味苦，性寒，可清热燥湿、泻肝胆火、止血，用来利水消肿、化痰止咳很不错。特别是痰喘、咳嗽直接用它煎水就可以了。”小神农回答道。

“原来是这样！”子恒边说边舀了一碗水，浇在了报春花的土壤，边浇边说，“如果报春花可以做成报春糕就好了！”

小神农伸手拍了子恒的小脑瓜一下，“就知道吃！”

“吃饱了才有力气整理草药啊！”子恒噘着嘴说道。

“你说的好像也有道理。”小神农点头称是，因为一早打理草药，他的肚子早就饿得咕咕叫了。

车前草——泻火有奇效

“师傅，您终于回来了！“朱有德出门看诊几天，小神农早就想念他了，一看师傅进了门，便丢下子恒冲了过来。

“师傅，我来帮您！”说着，小神农接过朱有德的药筐，只见里面盛满了各式各样的草药。

“朱大夫好！”待朱有德坐定，子恒才来向他问好。

“子恒也在啊！怎么样啊？住得还习惯吗？”朱有德耐心询问一番。

“嗯！小神农哥哥对我特别好！”子恒笑道。

“师傅，您先回屋休息一会吧！我把草药整理好就可以了。”小神农怕师傅一路疲累，关切地说着。

小神农在朱有德身边的时间也不短了，这期间除了个头长高不少以外，说话做事也成熟了许多，朱有德都看在眼里。此时，他听小神农这样说，心里不觉更加温暖，放心地回自己房间去了。

“小神农哥哥，这是什么啊？”在院子里整理草药的子恒又开始好奇了。

小神农端详了一番，说道：“车前草！”

“车前草是什么草？也能够治病吗？”子恒问道。

“当然，这车前草又叫平车前，全株可以入药。它的主要功效在于清热、明目、利尿、祛痰，因此可以治疗小便不通、水肿、热痢、尿血、黄疸、淋浊、带下、泄泻、鼻衄、目赤肿痛、喉痹、咳嗽、皮肤溃疡等症。”小神农解释道。

“那这车前草到底该怎么分辨呢？”子恒手里摆弄着一棵车前草，不知如何开始总结其特征。

“车前草为1～2年生草本植物。你看，它的直根较长，具有多数侧根。但是根茎较短。叶子很好看，叶基生，呈莲座状，或平卧、或斜展或直立生长。”小神农开始为子恒讲解车前草了。

“它的叶子似乎也很有特色，脉络很清晰啊。”子恒说。

“是啊，它的叶片是椭圆状披针形，有的是卵状披针形的纸质；顶部是急尖的，也有的是微钝状，周边长着浅波状钝齿、不规则锯齿或牙齿，底部是宽楔形，有的接近于狭楔形；叶面上有5～7条脉络，叶子正面略微有凹陷，但是在叶背面却能看到明显的隆起，正、反两面覆盖着稀疏的白色短柔毛。它的叶柄长2～6厘米，底部扩大后呈鞘状。”小神农拿起了一株车前草的叶子，指给子恒看。

“那它会开花吗？”子恒觉得这种植物叶子大，肯定不开花。

“会开花呀，每年6～9月是它的开花期。长着很多个菱形的花茎，还可以看到有稀疏的毛。穗状花序是细圆柱状，上半部分比较密集，底部一般是间断的，长6～12厘米。每朵花都有1枚三角形的宿存苞片，在底部有4枚花萼合生成椭圆形。花冠是白色的胶质，前端分裂出4个很小的裂片，所以不是很明显，大部分是椭圆形或者卵形。结出的蒴果是卵状椭圆形，有的接近于圆锥状卵形，果实成熟后，在它的下方会形成一周裂纹，里面有4～8颗种子，全都是腹面平坦的椭圆形，一般是黄褐色，有的接近于黑色。现在都清楚了吗？”小神农问道。

“嗯！我明白了。”子恒边说边点头，快速地将车前草都归放在一起。

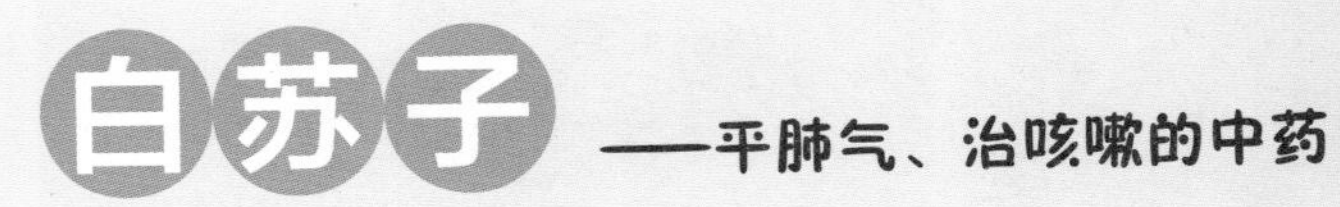

白苏子——平肺气、治咳嗽的中药

“小神农哥哥，这又是什么啊？”子恒一边摇晃着小神农的胳膊一边说道。

小神农看了看子恒手里拿的药草，半天没有出声，因为他也是第一次看到这味草药。

“这是白苏子！”就在小神农不知如何作答时，师傅的声音在二人身后响起。

“师傅！”

“朱大夫！”小神农与子恒一起看向朱有德。

“这种草药叫白苏子！《救荒本草》中说‘荏子，所在有之，生

园圃中。苗高一二尺，茎方。叶似薄荷叶，极肥大。开淡紫花，结穗似紫苏穗，其子如黍粒，其枝茎对节生’，荏子也就是白苏子。《本草纲目》对它也有记载，说‘紫苏、白苏，皆以二三月下种，或宿子在地自生。其茎方，其叶圆而有尖，四围有锯齿’。”朱有德为两个孩子讲解着。

“这些医书讲解的白苏子特征并不全面，还不如小神农哥哥给我讲的清楚呢。”子恒显然对医书的简洁用语不能理解，所以噘着嘴不肯认账。

“小神农，你听懂了吗？”朱有德似乎有意要考小神农的样子。

“师傅，我刚听了您说的那些特征，现在再对着它的实物，似乎可以理解了。”小神农毕竟比子恒大一些，而且对药材的认知能力也更强一点。

“那你就给子恒总结一下它具体的特征吧。”朱有德说。

“好的。”小神农拿起一株白苏子，开始说起来，“白苏子是一年生直立草本植物，高0.5～1.5米。它的茎是绿色的圆角四棱形，长着很多分枝，除了根基部分，其他茎上都长满密密的细长白毛。仔细闻一闻，整棵都带有香味。它的叶子是卵形或圆形，成对生长，顶部急尖，底部是圆形，周边长着很粗的锯齿，正、反两面都是绿色且覆盖着毛。”

小神农看看白苏子的植株，顶部已经开花，便接着说，“白苏子是总状花序，有的开在顶端，也有的开在腋处。苞片是卵形，萼是钟状，有5个齿，表面上有10条脉纹，而且长满了短毛和腺点。它的花冠是2唇形的白色管状，上唇分裂成2个浅裂片，下唇分裂成3个裂片，两边的裂片是半圆形，中间的裂片是横椭圆形，外面长

有毛……”

说着说着，小神农突然不出声了，好一会儿才小声问：“师傅，白苏子结什么样的果实呢？”

朱有德笑起来：“白苏子结小坚果，颜色灰白或者褐色，呈倒卵形，表面隆起的网纹较为明显。”

“那它可以吃吗？”子恒马上问道。

“白苏子的果皮较为质脆，比较容易压碎。其种仁则为黄白色，里面富含油质。气味微香，嚼之有油腻之感，是入药用的。”朱有德笑了。

“师傅，白苏子的药性如何？”小神农追问。

“白苏子味辛，性温，归肺、脾、大肠经，润肺、消痰、下气之功强大，用它治疗咳逆、痰喘、气滞便秘是非常好的，但脾虚便滑以及久虚咳嗽者却不宜用。”

“哦，我知道了，虽然也是止咳化痰药，但不适宜体虚者。”小神农马上总结道。

“不错，就是这个道理。好了，现在该去吃饭了，师傅都饿了。”朱有德叫上两个孩子，向厨房走去。

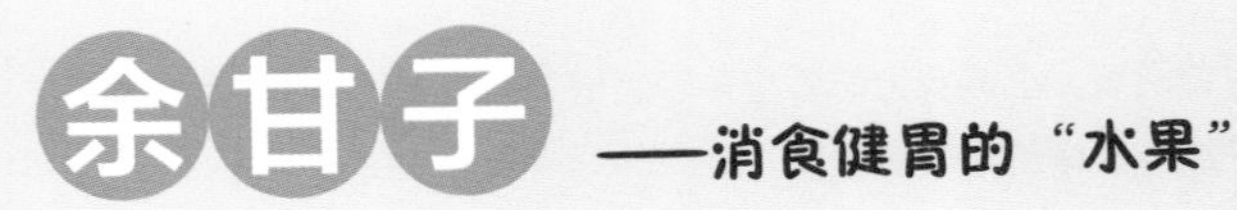

余甘子——消食健胃的“水果”

小神农与子恒忙碌了一个上午，终于在晌午之前将草药都整理好了。

“奖励你们的！”朱有德将两个圆圆的果子递给小神农和子恒。

“这是什么呀？”子恒问道。

“这都不认识呀，它是余甘子！”小神农立刻回答他。

“余甘子？还有这种水果？我可是第一次见到。”子恒边吃边说，显然很喜欢这酸甜的味道。

“余甘子可不只是水果，它还是药材呢。这果子味甘、微涩，性凉，具有润肺止咳、清热利咽之效，所以咳嗽、感冒发热、咽喉疼

痛、口干舌燥等症都可以用它治疗。”朱有德笑着说。

“师傅，我之前看书上说，好像它的根和皮都可以入药，是吗？”小神农问。

“没错，余甘子的果实、根、皮、叶子，甚至是树枝上的虫瘿都可入药。”朱有德干脆坐下来给他讲解，“不过，它的根味辛，性寒，有毒，用来杀虫、利水更好，而且消食、化痰也很管用。但它的树皮味甘、酸，性寒，主要作用是杀菌、祛腐，如果治疗口疮、外伤出血、痔疮等症更合适。

它的叶子味辛，性平，利水祛湿作用很强，对皮肤湿疹、水肿治疗效果较佳。至于它树枝上的虫瘿则是小儿疳积、胃痛、牙痛等病的良药了。”

“你们怎么什么都知道？我连余甘子树长什么样都不知道呢。”子恒见他们师徒你一言我一语的，不禁着急起来。

“小神农，快给子恒讲讲余甘子的特征吧，不然他要急了。”朱有德哈哈笑起来。

“余甘子树是一种乔木，可高23米，树皮表面浅褐色，带有纵细条纹及黄褐色短柔毛。它的叶子为线状长圆形，叶表深绿，叶背浅绿，边缘略有背卷，为纸质。它的花序是聚伞状，每个花序雄花

多数，只有1朵雌花，甚至没有。雄花萼片膜质，呈倒卵形，颜色发黄；花盘带6个腺体，近三角形。雌花萼片长圆，质地较厚，边缘膜质。花谢会结核果状蒴果，外皮肉质，颜色绿白，或者淡黄，也就是我们吃的这余甘子了。你看，它内果皮如硬壳质，而且里面有略显红色的种子。”小神农举着手里的余甘子给子恒解释。

“原来如此！不过这余甘子真好吃！这可是我第一次吃呢！”子恒边吃边含糊不清地说着，把朱有德与小神农都逗笑了。

——益气润肺之补药

王二婶办完事情回来后，便将子恒接回家去了。于是，朱有德与小神农的生活又回归到了之前的平静。

“师傅，您到底做什么去了？为什么不回答我？”小神农感觉奇怪，师傅这么早出门，肯定有事。

“你看这是什么？”朱有德这才将背在身后的手举出来，手里拿着一枝草给小神农看。

“咦？师傅，这是什么草？我好像不认识呀。”小神农看到朱有德手里的东西，一下好奇起来。

“这个是宝铎草！昨天回来时，在山边看到，所以一早过去采摘。”朱有德说道，“宝铎草有益气补肾、润肺止咳之效，因此，常用于食欲不振、泄泻、脾胃虚弱、病后或慢性病身体虚弱、肺气不足、自汗、津伤口渴、气短、喘咳、慢性肝炎、小儿消化不良等症。这么好的草药，不采一些回来可惜了。”

“师傅，我实在是不认识它，不然早采回来了。您快给我讲讲宝铎草的特征吧，吃完饭我去采。”小神农急忙说道。

“宝铎草又名淡竹花，为多年生草本植物，高30～60厘米，上部分枝，茎表光滑。它的根茎肥白，屈曲横出。叶子为厚纸质，呈卵形，前端尖，多为歪斜状。于脉络及边缘处，有突起的乳突，并具横脉。花朵是黄绿的，为钟状。花谢之后可结球形浆果，成熟之后变成黑色。通常，宝铎草以根部入药，它的根干燥后，可呈细长纺锤形，稍有弯曲，表面淡黄色，有明显细纵纹。但质地较脆，容易折断，断面颜色黄白，中间有细木心，气味轻淡。”朱有德为小神农讲解宝铎草的特征。

“师傅，我都记住了！一会吃完饭就去采它回来。”小神农听完，立刻来了精神。

“好，吃完饭师傅与你一起上山。你已经好久没上山，是不是心里着急了？”朱有德微笑着抚摸一下小神农的头，带着无限怜爱。

“我都快急死了，真怕那些草药不等我们去就枯掉了呢。”小神农咯咯地笑起来。

响铃草——敛肺气消咳喘的好药材

上山采药一直都是朱有德和小神农的日常生活方式之一，他们每天以采药为乐。

小神农昨天晚上睡得早，所以，他不知道今天的采集任务是什么。两人背着竹筐走在山路上，小神农就着急地问朱有德说："师傅，咱们今天要采集什么草药呢？"

"我们今天要采集响铃草。"朱有德笑着回答。

"响铃草是什么药材？是不是这种药材的外形像铃铛一样，用手一摇就会发出声响？"小神农不解地问。

"你这孩子平时总是异想天开，没想到今天倒是真让你给蒙对了。响铃草的果实，长2.5～3厘米，内有20～30颗种子，摇之有声，如响铃。"

“师傅，我觉的这种药草挺有意思的，能不能劳烦您给我完整地讲述一下它的知识。这样待会找药材的时候，我就不用麻烦您了。”小神农望着朱有德诚恳地说。

朱有德看到小神农求知心切的表情，便细细地讲解起来：“响铃草又名假地蓝，是多年生草本，根长达60厘米以上。茎、枝直立或略上升，通常分枝甚多。茎、枝、叶各部分均有稍长而扩展的毛，毛略粗糙，稍呈丝光质。单叶互生，矩形，先端钝或微尖，基部窄或略呈楔形，也偶有长卵形或长椭圆形。叶片两面均有毛，叶下脉上最密。生总状花序，顶生或同时腋生，花朵呈蝶形，黄色。花谢之后，会结肾形种子，具豆腥气，味微苦。我这样解释，你能听懂吗？”

“师傅，放心，我跟着您学习这么久，您所说的专业术语我还是知道一些的。”小神农自信地说，“师傅，响铃草的外形这么有特点，那么这种药草的作用有哪些呢？您干脆不要吝啬，一并告诉我得了。”

“响铃草味苦、微酸，性寒，具有止咳平喘、滋肾养肝、利湿解毒的作用。其中止渴平喘的功效非常明显，《云南中草药选》中就记载它‘利水，消炎，平喘，止咳’，另外，对于耳鸣、恶疮、久咳痰血、疔毒、耳聋、膀胱炎等症都有疗效。”朱有德认真地回答。

“这些我都记住了，您就坐在这里等着我的好消息，我保证找到响铃草！”小神农调皮起来。

果然，一会儿功夫，朱有德就听到小神农大喊：“师傅，我找到了。您要不要过来帮我把把关？”

朱有德急忙赶过去，详细一看，小神农找到的正是响铃草，朱有德看到小神农满眼期待，对他竖起了大拇指。小神农一见，立刻开心地蹦跳起来。

百脉根——清热止咳的"小花"

春天是个万物复苏的季节，山上的许多花都盛开了，放眼望去姹紫嫣红一片，小神农非常喜欢这样的景象。

蝴蝶是传递花粉的搬运工，每到这个季节就非常忙碌。小神农特别喜欢蝴蝶，每天上山只要一碰到蝴蝶，他就站在附近看很久，直到蝴蝶飞走他才会离开。

今天刚上山没多久，小神农就看到一只蝴蝶在自己眼前飞来飞去，他的视线就不由地跟着蝴蝶移来移去。只见那蝴蝶一会儿落在花间，一会儿又在空中飞舞。师徒二人干脆站在原地欣赏，直到蝴蝶最终飞走。

小神农满足地叹了口气，这才注意到刚刚蝴蝶停留过的花朵，原来那是一种自己叫不出名字的黄色小花，他好奇地问朱有德说：“师傅，您见多识广，能告诉我这种花叫什么名字吗？”

“这些黄花就是一种药材，它的名字叫五叶草。取它的根入药，则被称为百脉根。”朱有德解释说。

听到师傅这么一说，小神农非常惊讶，急忙向询问师傅百脉根的具体特征。

“百脉根是豆科属多年生草本植物，主根明显，侧根众多，分布于30～60厘米土层中。其茎、枝丛生，匍匐生长，茎光滑，长60～90厘米。叶片为掌状三出复叶，小叶呈倒卵形，短叶柄。有大托叶，形似叶片，故名五叶草。它会在花梗顶端生伞形花序，花朵多3～5朵聚生，花色淡黄至深黄。花谢后结荚，形状长圆，聚生花梗顶端，散开，状如鸟足，所以它又叫鸟足豆。荚内的种子细小，肾形，光滑，为橄榄色。”朱有德不紧不慢地说着。

小神农一边听着，一边观察，果不其然，师傅说的形状特征跟眼前的花一模一样。不过，朱有德已经很了解小神农了，他如果要认识药材，不仅要知道药材的外形特征，还要知晓药材的药效和作用。于是就接着说：“百脉根味甘、苦，性微寒，具有清热解毒、止咳平喘的功效。用来治疗风热咳嗽、扁桃体炎、胃中痞满疼痛、咽炎等很不错，而外用则可治湿疹、疮疖、痔疮等症。”

朱有德讲完之后，望着小神农，他看到小神农脸上满是疑虑，笑着说：“不相信我说的这些吗？你可以回去进行考证，这些知识在《唐本草》和《中华本草》中都有记录。”

小神农一听，连忙摇着头向师傅解释说：“师傅，您误会了。我不是不相信您，我只是在回忆您刚才说过的药效，以便加深记忆。”

野豌豆——祛痰止咳的“豆”

朱有德和小神农每天都一起开心地采药、聊天，这让两个人的关系也越来越融洽，彼此也更加关心。

细心的小神农发现，最近师傅经常咳嗽。虽然他起初并没有太在意，但是，朱有德的咳嗽声越来越大，这才让小神农感觉到一些担心。但自己学医未成，还不知道如何给师傅用药治疗，便想在书中找找方法，因此，晚上一直看书到很晚。

结果，晚上睡得太晚，早上就起不来了。小神农今天早晨比往常晚起四十分钟，他起来之后，看到师傅已经坐在厨房准备吃饭了，而且，桌子上还放着一盘煮好的野豌豆。小神农一边洗脸，一边寻思师

傅怎么想起来吃野豌豆了。

满怀好奇的他坐在饭桌前，张口就问：“师傅，今天怎么想起来煮野豌豆了？”

朱有德笑着说：“这是给我自己准备的，最近有些咳嗽，所以煮了吃一些。”

“野豌豆能治疗咳嗽吗？”

“我记得你前不久刚看过野豌豆的知识，怎么现在全忘了？你想想野豌豆具有哪些药效。”朱有德提醒小神农说。

一经师傅的提醒，小神农很快就想到了，他高兴地说：“对呀！我记得医书中说过，野豌豆味甘、辛，性温，具有补肾调经，祛痰止咳的作用。主要用于治疗肾虚腰痛、咳嗽痰多、遗精、月经不调等症状。拿给师傅治疗咳嗽不是刚刚好吗？”

“现在明白我为什么要吃野豌豆了吧？”朱有德笑起来。

小神农连连拍着脑袋，笑着说：“我以后不睡觉了，我发现一觉醒来，自己变笨了许多。不过，师傅既然野豌豆可以缓解咳嗽，咱们今天上山就再采摘一些吧？”

朱有德故作怀疑地说：“好是好啊，只不过，我不知道你是不是能认出野豌豆的植株来呢。”

“我……”果然，小神农马上没话说了。

朱有德却笑了，说：“那我就告诉你野豌豆的外形特征吧。但是我只讲一遍，你可听好了。”朱有德放下手中的碗筷，“野豌豆属于多年生草本，高30～100厘米。根茎匍匐，茎部柔细，攀缘或斜升生长，表面具棱及柔毛。叶片为偶数羽状复叶，叶轴顶端卷须发达，小叶5～7对，呈长卵圆形或长圆披针形，叶两面都生柔毛，下面较

密。它6月开花，为短总状花序，花冠红色或近紫色至浅粉红色，稀白色。荚果宽长圆状，近菱形，成熟时亮黑色，先端具喙，微弯。种子扁圆球形，表皮棕色有斑，种脐长度相当于种子的2/3。”

朱有德刚说完，小神农就迫不及待地说：“师傅，我记住了。咱们赶紧出发吧！我还等着您吃我采来的野豌豆，让咳嗽马上痊愈呢！”

师徒二人背着竹筐，开开心心地上山去了。

映山红——消炎镇咳的“杜鹃”

朱有德最近心情愉悦，总是嘴里哼着小曲。小神农虽然没问为什么，但看到师傅这么开心，自然也高兴起来。

早上，师徒二人刚吃过饭，小神农就询问朱有德说：“师傅，今天咱们采集什么药材？大概什么时候出发？”

“我收拾一下，咱们马上出发。今天的采集任务是映山红。”朱有德笑着说。

“师傅，映山红是什么药材呀？我怎么第一次听说有这种药材呢？”小神农发现自己又遇到新奇药物了。

朱有德看小神农满脸的疑惑，就说：“这可不是我自己编出来的

药材，你要不要赌一把，如果我赢了，今天我的竹筐就由你来背。”

小神农是个不愿服输的人，听到朱有德这么一说，他果断答应了，他自信满满地问朱有德说：“师傅，您说的映山红是什么样的药材，能不能先把这种药材的外形特征给我讲述一下。”

“映山红属于落叶灌木，高2～7米。分枝一般多而纤细，叶片革质，常集生枝端，为卵形，它叶前端短渐尖，基部楔形或宽楔形，边缘微反卷，具细齿。叶表为深绿色，疏被糙伏毛，叶面下为淡白色，密被褐色糙伏毛。而且，它的叶脉为羽状网脉，中脉在上面凹陷，下面凸出。映山红4～5月开花，花芽卵球形，鳞片外面中部以上被糙伏毛，边缘具睫毛。蒴果卵球形，长达1厘米，密被糙伏毛，有宿存花萼。”朱有德详细地讲解着。

“师傅，您先等会。我怎么听您讲解的外形，跟杜鹃花十分相似呢？”

朱有德笑了起来：“实话告诉你吧，映山红的别名就叫杜鹃花。”

“师傅，您这不是明摆着欺负人吗？您直接说是杜鹃花，我也不用和您打赌了。”小神农感觉自己受骗了，十分不满。

“这些知识你可是都学过，要怪也只能怪你自己看书不细心。你既然知道这种药材，现在能不能讲讲映山红的作用呢？”

小神农思考片刻后，认真回答说：“我记得在《本草纲目》中看过杜鹃花的知识，书里面记载它具有镇咳祛痰、降压利尿、消炎抗菌的作用，并且它祛痰的功效跟其他药物相比较为明显。”

听到小神农回答得如此全面，朱有德非常欣慰。

毛大丁草——伤风咳嗽的首选

朱有德和小神农上山的时候，天气还非常晴朗，但快到中午时，突然刮起了大风。师徒二人逆风行走了一段时间，最终决定找个避风的地方休息一下。

他们刚好途径一个背风的山丘，就各自找到一个地方坐了下来。

朱有德坐下之后，沮丧地说："怎么突然就刮起风来了，咱们今天要采集的毛大丁草，被这样的大风一吹，估计就要全被刮走了，这岂不是要空手而归了吗？"

"师傅，您先别急。咱们等会看看风力会不会变小。"小神农安慰师傅说。

朱有德仔细想想小神农说得也对，于是就静下心来休息。小神农看到朱有德背后的空地上长着一株类似蒲公英的花，好奇心驱使他走上前去观看，朱有德也转过身来，朝向那株花看过去，突然笑了，原来，这株植物正是他要找的毛大丁草。小神农不解地问道："师傅，您怎么断定这个就是咱们要找的毛大丁草呢？"

"这个很简单。通过外形特征就可以准确判断。毛大丁草属于多年生被毛草本植物。根状茎短，粗直或曲膝状，被残存的叶柄所围裹，具较粗的须根。叶片基生，呈莲座状，叶片干时上面变黑色，纸质，顶端圆，基部渐狭或钝。叶子是全缘的，上面被疏粗毛，老时脱毛，下面密被白色蛛丝状绵毛，边缘有灰锈色睫毛。它2～5月、8～12月开花，一年开两次，冠毛橙红色或淡褐色，微粗糙，宿存，基部联合成环。我就是通过这几个方面才准确做出判断的。"朱有德耐心地说。

小神农非常敬佩师傅，他又接着问道："毛大丁草的外形和蒲公英非常相似，它的作用是不是跟蒲公英也类似呢？"

"两者虽然外表相似，但是疗效却不相同。《民间常用草药汇编》中记载毛大丁草具有'宣肺气，发汗，散寒消风，止咳定喘，止百日咳'的作用。除此之外，毛大丁草还能治疗伤风咳嗽、哮喘水肿等病症。"

两人你一言我一语地说着，转眼间风也变小了。师徒二人决定重新出发，继续去采集毛大丁草。虽然大风将毛大丁草吹走了一些，但是他们在山上的某个角落里还是采到了许多。

棉花草——平喘止咳的草药

棉花草学名叫艾草，属多年生草本植物，略成半灌木状，植株有浓烈香气。茎单生或少数，褐色或灰黄褐色，基部稍木质化，上部草质，并有少数短的分枝。叶厚纸质，上面被灰白色短柔毛，基部通常无假托叶或极小的假托叶，上部叶与苞片叶羽状半裂。9～10月为花期，头状花序椭圆形，花冠管状或高脚杯状，外面有腺点，花药狭线形，花柱与花冠近等长或略长于花冠。瘦果长卵形或长圆形。

棉花草不仅是一种药材，也是一种很好的食物，在中国南方的传统食品中，有一种叫糍粑的食物即用清明前后鲜嫩的艾草和糯米粉按1：2的比例和在一起，包上花生、芝麻及白糖等馅料，再将之蒸熟即成。也有一种做法是将面粉和棉花草和在一起，放在油锅中煎熟。

今天的早饭，朱有德就打算给小神农煎一些棉花草饼尝尝。小神农一开始以为是韭菜煎饼，但是当他仔细品尝之后才发现自己判断失误了。他急忙问朱有德说：“师傅，煎饼放的是什么菜，我怎么吃不出来？”

“不知道了吧？我放的是棉花草，而且我猜你一定是第一次吃这种饼，对不对？”朱有德得意地笑起来。

“我的确第一次吃，不过，棉花草是什么？”

“棉花草你可能没印象，棉花草又叫艾草。”朱有德说。

小神农听到艾草就明白了。

“你知道棉花草都具有哪些功效吗？”朱有德故意问道。

“棉花草全草均可入药，有温经、止血、消炎、平喘、安胎、去

湿、散寒、止咳、抗过敏等作用。艾叶晒干捣碎得‘艾茸’，制艾条供艾灸用，又可作‘印泥’的原料。并且我还知道这些在《本草纲目》中都有记载。”小神农说得头头是道。

朱有德第一次见到小神农如此自信满满地讲解一种药材，并且还能准确说出药材的出处。朱有德由衷地感觉，小神农长大了。小神农依旧还在寻思师傅是什么时候采摘的棉花草。

朱有德猜出了小神农的心思，于是笑着说：“不要再琢磨了，我是在你偷懒的时候，顺手采摘的。想要达到我这种水平，恐怕你还需要再多锻炼几年。”

小神农满脸不服气地说：“从今天开始，我就加倍努力学习，我会在最短的时间里，掌握最多的知识！”

万寿菊——观赏与药用合一的止咳药材

夏、秋换季的时间即将到来，这个时候是最容易生病的。

一般在这个时候，朱有德都会格外注意，所以他总会早早准备些应季药材。比如此时气温和湿度都会有较大幅度变化，这样容易造成咳嗽和多痰等病症，所以朱有德会开始喝万寿菊茶。

万寿菊为一年生草本植物，株高60～100厘米，全株绿色，具异味，茎粗壮，直立生长。单叶羽状全裂对生，裂片披针形，具锯齿，上部叶时有互生，裂片边缘有油腺，锯齿有芒。8～9月为花期，头状花序生于枝顶，颜色黄或橙，总花梗肿大，舌状花瓣。可结黑色瘦果，有淡黄色冠毛。下位子房上位花。

这种植物最喜阳光充足的环境，耐寒、耐干旱，在多湿的气候下生长不良。对土地要求不严格，但以肥沃疏松、排水良好的土壤为好。

夏、秋交替的时候，饮用这种茶再好不过：既可平肝清热又能祛风化痰。而且，万寿菊可以入药，用来缓解头晕目眩，治疗感冒咳嗽、百日咳、风火眼痛、小儿惊风、乳痈、痄腮等症都很有效。

朱有德几乎每天都要泡一大杯万寿菊茶饮用，小神农便随着师傅的步调，与师傅保持一致。今天也不例外，他看到师傅泡茶，自己也急忙跑过去泡茶。

“你知道我们泡的是什么茶吗？你知道这种茶具有哪些疗效吗？”朱有德询问小神农说。

“我们喝的不是菊花茶吗？菊花茶的作用当然是清火明目了！”小神农不假思索地回答道。

“这次你可没说对，我们喝的是万寿菊茶。”

“差不多了，万寿菊不也带一个“菊”字吗！两者的作用应该也不会差太远。”小神农无所谓地说。

朱有德责备小神农说：“这怎么能一样呢？而且关于万寿菊的功效我之前已经给你讲过了，你再仔细想想。”

看到师傅严肃的表情，小神农十分害怕，他认真想了想，支支吾吾地回答说：“万寿菊好像……对了，我记得您给我讲解的时候说万寿菊的知识在《民间常用草药汇编》中有记载。其他的，我实在记不起来了……”

朱有德原本以为小神农一点都记不起来，但是听到他还能记得记载万寿菊的医书，也就没有那么生气了。他耐心地将万寿菊的外形特征和药用功效详细地给小神农重新讲解了一遍。

猫爪草——化痰散结之特效药

小神农听到了轻轻的叩门声，不用想也知道是师傅来了。

“师傅请进，门没锁。”小神农应道。

“吱”的一声，门开了，朱有德手里端着一盘西瓜走到桌子前，“天热了，吃点西瓜解解渴。”

小神农开心地放下手中的笔，立刻拿了一块吃起来。

“在写什么？”朱有德关切地问道。

“读书笔记。”小神农一边大快朵颐一边说道。

“哦？这可是个好习惯！为师可以看看吗？”朱有德问道。

“当然可以！”小神农将左手在身上蹭了蹭，然后拿了本子递给

朱有德。

“嗯，猫爪草。”朱有德一边看着小神农所写的笔记一边读了出来，“猫爪草是一年生草本植物，它拥有多数簇生的肉质小块根，块根通常为卵球形或纺锤形，顶端质较硬，形似猫爪。猫爪草的茎铺散生长，分枝较多，并且较为柔软，近乎无毛。基生叶具有长柄，其叶片的形状较为多变，但大多为单叶或3出复叶，呈宽卵形至圆肾形。茎生叶无柄，叶片比较小，全裂或细裂，裂片为线形。”朱有德一边点头一边翻到下一页。

“猫爪草的花单生于茎顶或分枝顶端，萼片有5～7个，外面疏生柔毛。花瓣有5～7片或者更多，颜色大多为黄色或随后变为白色，其形状全部呈倒卵形。结出的瘦果为卵球形，无毛，边缘具有纵肋，并具有细短的喙。”

“不错，完全正确，它的药性你怎么没有记录在内？”朱有德问道。

“我还没写完呢。”小神农继续吃第二块西瓜。

“那你先给我说说这猫爪草有何作用吧？”

“猫爪草味甘、辛，性微温，是归肝、肺经的养阴药，有化痰散结、解毒消肿的功效。因此它主要用来治疗疟疾、瘰疬痰核、疔疮、虫蛇咬伤、偏头痛、牙痛、淋巴结结核、咽喉炎等疾病。”小神农说完后便看向朱有德。

“掌握得不错，一会吃完把这猫爪草的药性补充完整。”说罢，朱有德便起身向外走去。

“是！师傅！弟子知道了！”

竹茹——止肺痿唾血之药

“师傅早！”小神农热情地跟朱有德打招呼。

“早啊！你最近起得很早嘛！”朱有德一边打着哈欠一边说道，“草药整理得怎么样了？”朱有德继续问道。

“都差不多了，但是我不知道这个是什么？”小神农指了指手边的草药。

“这个是竹茹。竹茹有3种：青竿竹、大头典竹、淡竹。你所看到的是淡竹。”朱有德立刻为小神农讲起药材知识来，“淡竹的植株木质化，竿高6～18米，初长时为绿色，老后则变为灰绿色，它的竿环及箨环均隆起。叶片深绿色，无毛，窄披针形，次脉有6～8对，质地较薄。生穗状花序，小穗含2～3朵花，顶端花逐渐退化，形状大多为披针形，并具微毛。外稃较为锐尖，表面被微毛，内稃先端有2齿，其上被微毛。鳞被数目经常变化，形状为披针形。”朱有德为小神农解释了竹茹的外形特征。

“竹茹原来是这样的！那青竿竹与大头典竹和它有什么不同呢？”小神农继续提问。

“青竿竹与它相似，不过竿的节上分枝比较多，而且节间为圆柱形，比较光滑。至于大头典竹，则不那么直立，有些‘之’字形折曲状，特别是幼竹的节部，会生毛环。”朱有德大致将3种植物进行了对比，为的是不让小神农混淆。

“哦，这样我就知道如何分辨了。不过，师傅，竹茹的功效是什么呢？”小神农似乎有问不完的问题。

“竹茹味甘，性微寒，归肺、胃经，不但能清热止呕而且涤痰开郁。很多医书都对它的功效有所记载，比如《本草纲目》中说它治疗‘伤寒劳复，小儿热痫，妇人胎动’，而《药性论》又说它‘止肺痿唾血，鼻衄，治五痔’。其中《本草正义》讲得比较全面，说它‘治肺痿唾痰，尿血，妇人血热崩淋，胎动，及小儿风热癫痫，痰气喘咳，小水热涩’，由此可见，竹茹功效巨大。”朱有德回答道。

“嗯！我明白了！我全都记住了！”小神农兴奋地说道。

——化痰止咳且可赏的“花”

自从小神农养成了记录的习惯后，朱有德便隔三差五来检查他的读书笔记。

“你说说这《本草纲目拾遗》是如何描述石吊兰的。”朱有德一边翻看小神农的笔记，一边命令道。

“兰草有数种。石吊兰，今人呼为奶孩儿者是也。此草方茎紫花，枝根皆香，人家多植之，妇女暑月以插发，入药走血分。省头草，叶细碎如瓦松，开黄花，气微香，生江塘沙岸旁，暑月土人采之，入市货卖，妇人亦市以插发，云可除污垢，未见有入药用者。又有香草，叶如薄荷而小，香气亦与薄荷迥别，五六月间，人家买以煎黄鱼，云可杀腥代葱，此即所谓罗勒者是也。又有孩儿菊，叶如山马兰而长，近皆以此作石吊兰用入药，云可治血。此四种皆香草，唯奶孩儿草香尤峻烈。濒湖《本草纲目》兰草释名下，概以省头草、孩儿菊混立一类，殊欠分析。至其集解所详形状，则又以孩儿菊为石吊兰，附方中则又认省头草为兰草，皆非确实也。”小神农没有一丝犹豫地背诵了出来。

“嗯，背得不错，记得也很好，就是这里有几处错别字！”朱有德边说边指给小神农看，“用功程度虽然值得表扬，但是以后要更加细心一些，知道了吗？”

小神农重重地点了点头，“我知道了，师傅！”

“那你现在能用自己的语言来描述一下石吊兰的外形特征吗？”朱有德怕小神农只一味背书而忽略了实践的重要性。

“石吊兰为常绿附生半灌木植物，茎呈灰色，匍匐生长，幼枝有短毛，老枝颜色黄棕，多不分枝，表面有微皱。叶片对生，革质，短柄紫红。它的叶子常大小、形状不一，有狭矩形，也有楔形，以及倒卵形等。叶片全缘，叶表深绿，叶背淡绿。花序腋生，苞片很小，5枚花萼，呈三角状条形，花冠颜色淡红，或者白色，常带紫色。近二唇形，上唇分2裂，下唇分3裂。可结线形蒴果，里面有纺锤状的种子。”语毕，小神农看向朱有德。

“嗯，说得真不错。”朱有德点头称赞，“你知道石吊兰有什么功效吗？”

小神农听了师傅的夸奖，不由脸红起来，低着头想想，才说：“石吊兰味苦、辛，性平，是化痰止咳、祛瘀通经的药材，用它可治疗咳喘痰多、风湿痹痛、痛经、跌打损伤、吐血、疳疾、细菌性痢疾等症。我记得《草木便方》中还说它‘消痰，追毒，化食，养阴血，治风湿气肿，头闷眼花，诸虚’，所以，它应该是一味多功效的药材。”

“虽然尽信书不是好事，但你在采药之余，经常读一读医书却是有好处的。看到你这样好学上进，为师也就放心了。”朱有德连连点头，甚是欣慰。

“师傅您说的话，弟子全部记住了!”小神农听着师傅的话，也不断点头，在心里暗下决心：一定要好好学习，不让师傅失望。

——化痰止痛效果好的“小百花”

小神农将新采摘的草药整理完后，便躺在院子里的阴凉处休息。小神农一直在心里暗示自己：心静自然凉，只要我不动，我就不会热。

“嘀咕什么呢？”朱有德拿着扇子站在小神农的身边，“说说白附子的外形特征。”命令道。

“啊？师傅，又考试啊？”小神农不满意地嘟起了嘴。

“不考你也可以，那你去后院照料草药吧！”朱有德一边扇着扇子一边席地而坐。

“啊？这么热的天……师傅师傅，我记着白附子的特征，我

答！”小神农马上说道，“白附子为多年生草本植物，植株通常较为高大。地下块茎呈芋艿状，并外被暗褐色小鳞片。叶片因年限不同，数目也不一样，1～2年生的通常只有1片叶子，3～4年生的则会有3～4片叶子。叶片幼时内卷，如角状，成熟后展开，如箭形。6～8月开花，花梗自块茎抽出，生肉穗花序，苞片佛焰状，紫红色，管部圆筒形或长圆状卵形，顶端逐渐变尖而弯曲。雌花序长3厘米左右，与中性花序同长，雄花序长约2厘米。雄花为金黄色，雄蕊具有2个花药。其浆果成熟时为红色。”小神农说完偷偷看向朱有德。

朱有德继续扇着扇子，闭着眼睛说道：“药性。”

“白附子味辛、甘，性温，有毒，归胃、肝经，主要有祛风痰、

定惊搐、化痰止咳、解毒散结、止痛之效。因此，它常用来治疗中风痰壅、口眼㖞斜、语言謇涩、惊风癫痫、破伤风、痰厥头痛、偏正头痛、瘰疬痰核、毒蛇咬伤等症状。”

“回答得很不错，奖励你什么好呢？”朱有德听完笑了起来。

“哎呀，这没什么的，都是师傅教得好！”小神农挠了挠头。

“这样吧！为了奖励你，过两天为师带你去山上采药！”

“啊？师傅，这么热的天我们要去山上采药？”小神农苦笑着问道。

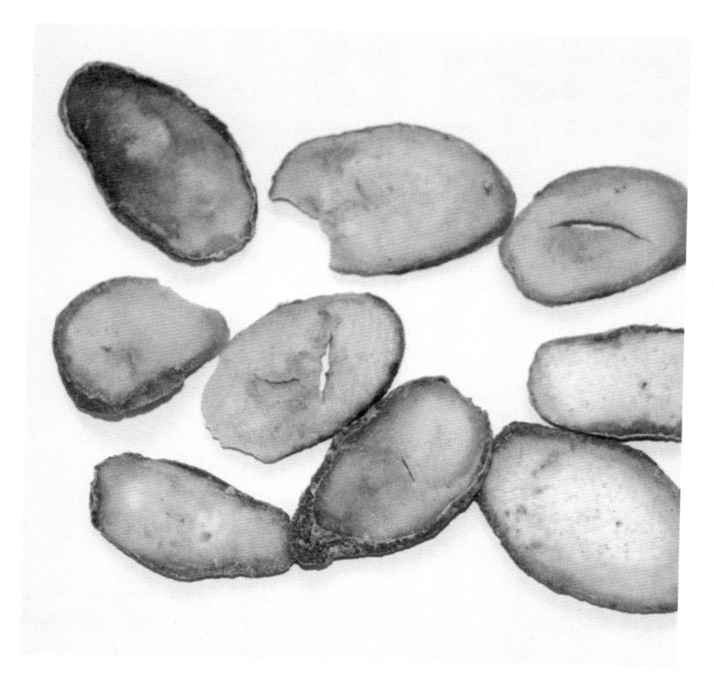

“当然！难道因为天热大夫就不去采草药，不给患者看病了吗？”朱有德一本正经地说着。

“我知道了师傅！”小神农叹了口气，便躺下身去再也不肯说话了。

水半夏——燥湿化痰、解毒消肿之药

这天，小神农一早便来到后院照料草药。正当小神农为草药浇水时，他发现了一株从没见过的植物。

“这是什么啊？野菜还是草药？还是杂草？”小神农嘀咕着。

“这是水半夏！”朱有德站在小神农的身后说道。

“水半夏？水半夏是什么？”小神农一边浇水一边问。

“水半夏为多年生草本。其块茎近似圆形，上部周围则生长着2～4厘米的肉质根。叶子3～4片，为戟状长圆形，基部则为心形或下延，前裂片形状大多为长圆形或长圆披针形，侧裂片大多向外水平伸展或下倾，形状以长三角形居多。”

“这叶子感觉就挺复杂的，那它的花是什么样子呢？”小神农看

着水半夏的叶子，不由皱起眉头。

朱有德边抚摸着叶片边说道：“水半夏是4～5月开花的，花序柄较细。佛焰状花苞的管部为绿色，形状为卵圆形。它的檐部多为绿色至绿白色，形状为披针形，通常生长后卷曲为长鞭状。其花序为肉穗状，比佛焰苞短，雌花序为卵形，子房也是倒卵形的。中性花为黄色，上面弯曲，中部以下棒状，前端变紫色。此花会结卵圆形浆果，内含种子。”语毕，朱有德舀了一碗水为其他草药浇水。

“师傅，这水半夏是干嘛用的呢？”小神农问道。

“你觉得呢？猜猜看。”朱有德说道。

“难道是收涩之药？”小神农试探性地问道。

“错！水半夏味辛，性温，有毒，但具有燥湿化痰、解毒消肿之效。因此，用来治疗咳嗽痰多、毒虫螫伤、痈疮疖肿、无名肿毒、外伤出血等症是很不错的。”朱有德解释道。

“原来你就是水半夏！我记住你了！“小神农对着那些茂盛的草药自言自语。

萝藦——补精益气的“地上爬”

前些天，小神农感染了风寒，一直病怏怏地窝在家里了。今天，小神农的身体终于有所好转了，朱有德便带着他到河边去转转，顺便透透气。

“师傅，您看，这地上‘爬’着一株植物。它的叶片是卵状的心形叶片，其先端逐渐变尖，它有两只叶耳，有些紧挨在一起，有些则舒展开来。叶片的正面为绿色，反面为粉绿色，大多数不被毛。”为了更进一步观察此植物的特征，小神农说着便蹲了下去，“叶片的每一边有10～12条侧脉，对了，它还有叶柄。”

“你观察得非常仔细，它叫萝藦，也是一种草药！”朱有德补充道，“萝藦是一种多年生的藤本植物，最长可长至8米。”朱有德说

着，将萝藦从土里拔了出来，“你看，它具淡绿色的圆柱状的茎以及纵向生长的条纹。萝藦的花在6～9月开放，花朵生于叶腋处或腋外，通常以13～15朵花聚集为总状聚伞花序。萝藦的总花梗较为纤长，并具有披针形的花萼以及白色花冠，同时有斑纹生于花冠处，副花冠具有较短的5列……”

“萝藦有果实或者种子吗？它们又是什么样子的呢？”小神农抢先问道。

“萝藦具有黄绿色的果实，外形为椭圆状，先端较尖，其形状酷似变形的桃子，且有斑点生于果皮上。萝藦的褐色种子呈卵圆形，且扁平，膜质且表面生毛。”朱有德回答道。

“相比于萝藦药材，我还是更喜欢它的果实，可真是太有意思了，太好玩了！”小神农开心地喊道。

“你可不要小看这草药，它可全身都是宝贝！”朱有德说道。

“哦！这萝藦真有您说的那么厉害？”小神农疑惑地问道。

“当然。萝藦以全草入药，其味甘、辛，性平，它具有解毒、通乳以及补精益气的功效，对于阳痿，妇女乳汁不足，瘰疬，疔疮，蛇虫咬伤，跌损劳伤之症都具有极好的疗效呢！此外，萝藦的果壳以及根均可单方入药。”

小神农听完师傅的话后，便立刻伸手去采摘萝藦，“这么好的东西，长在路边，还不要钱，我一定要多采些回去！”

朱有德见小神农这副模样，不由得大笑起来。

“师傅，您笑什么呀？我们一起采，还能多采些！”小神农忙活着，额头上不觉生出了细密的汗珠。

“好了，好了，够多了，你看你都出汗了，伤寒本就没痊愈，可不要再添了新病！”朱有德关切地说道。

掌叶半夏——似“水半夏”的化痰之药

按照前一天的约定，小神农今天要为大家准备早饭。虽然他之前经常看师娘炒菜，可是厨艺却远没有药学知识增长得快。好在，对这样的新鲜事，他完全乐在其中。

“哇，好烫好烫。”小神农一路小跑将放了热菜的盘子放到桌子上，大叫着，“师傅，师娘，快来尝尝我做的菜吧！”他一边叫着，一边麻利地摆好了碗筷。

“那为师就先开动了！”朱有德也不客气，直接夹了一口菜放进嘴里。

“怎么样，师傅，这菜的味道怎么样？”小神农急切地问道。

只见朱有德的五官仿佛扭打在了一起，完全说不出话来。师娘一见早明白了怎么回事，笑得说不出话来。小神农却不明就里，依旧追问着："师傅，您的脸色怎么这么不好看，菜味到底怎么样嘛？"

"这菜你从哪里弄来的？"好一会儿，朱有德才说出话来。

"嗯？菜？这野菜是我在后院墙角那里采的啊。"小神农说道。

朱有德弹了小神农的脑袋一下。

"啊！师傅您打我干嘛？"小神农捂着脑袋说道。

"小祖宗啊！这是掌叶半夏！这是草药！这不是野菜！"朱有德哭笑不得。

"啊？掌叶半夏？这是什么药材？我看它长得挺旺盛的，还以为是野菜呢。"小神农问道。

"掌叶半夏为多年生草本植物。它的块茎近似球形，外形有点类似半夏，但比半夏个头要大一些。叶柄较为纤细柔弱，淡绿色，叶片呈掌状分裂，小叶有9～11片。肉穗花序为顶生，花序柄与叶柄的长度近乎等长。其焰苞为淡绿色，形状大多披针形，下部为长圆形的筒状，先端为锐尖状。掌叶半夏的花都是单性，没有花被，并且是雌雄同株。雄花生于花序的上端，密集成圆筒状，具有香气。雌花则生于花序的下部，贴生于苞片上。花谢之后，可以结浆果，是绿色的卵圆形。”朱有德解释道，“对了，我以前不是教你认识过半夏么，它们的外形那么相近，你怎么还会将它认成野菜呢？”朱有德问道。

“这个……我，我忘了。”小神农挠了挠头如实说道。

“你呀，可惜我这些草药了，都被你拔来当野菜炒掉了。”朱有德无可奈何地摇起头来。

“师傅，炒都炒了，您就别说了，还是给我说说这掌叶半夏的功效吧。”小神农故意转移师傅的注意力。

“掌叶半夏味辛，性平，具有化痰、止呕、止痛、消肿的功效。而且，它不仅止咳平喘，还能治疗蛇毒叮咬。你可以观察一下，那些掌叶半夏虽然种于墙角处，却很少有蚊虫光顾，就是它的作用所在了。”朱有德说道。

“师傅，我这次肯定记住了，再也不会忘了！”小神农拍着胸脯说道，“我明天再给您们做饭吃，一定让您们满意。”

——治疗中风痰壅的草药

这天一早，小神农还未醒来，朱有德便出门为人看诊。小神农像往常一样起床、洗漱，整理草药。

“小神农，快来看看这是什么？”下午时分，朱有德从外面看诊回来，一进院子就招呼起小神农来。

“这个……我没有见过。师傅，这是什么东西啊？”小神农看着朱有德手里的干燥物块，好奇地问道。

“这是天竺黄，也就是青皮竹或者华思劳竹秆内的分泌液干燥后的块状物。不过，这块是青皮竹的块状物，你看它呈不规则多角形，表面乳白、灰蓝相杂，质地轻脆，很容易碎开，但断面的光亮感很强。”朱有德似乎非常喜欢这块东西。

“师傅，青皮竹是绿的竹子吗？”小神农想不明白。

“青皮竹多产于华南地区，又叫篾竹，秆高9～12米。秆直立生长，尖端稍稍下垂，节间长35～60厘米，幼时，秆身有白粉以及淡色刺毛。节上密集分枝，主枝较细长，其余枝则较短。竹壁薄，近基部数节无芽。箨环倾斜，箨鞘为厚革质，富有光亮，先端微凸且呈不对称的宽弧形，背面通常无毛或近基部贴生有暗棕色易落柔毛。箨耳较小，并为长椭圆形，两面生小刚毛，边缘则具锯齿以及有纤毛。箨叶直立生长，呈长三角形或卵状三角形，下部略向内收缩，背面无毛，腹面较粗糙，分枝密集丛生，粗细程度相同，每小枝上生披针形叶片。”朱有德说道。

“那华思劳竹又是什么样子的呢？”小神农充满好奇地问道。

“华思劳竹的秆为丛生，尾部稍稍下垂，偶有攀缘状。节间为圆筒形，多数分枝簇生。秆箨呈厚纸质、易脱落。箨片为直立的宽线形，但箨舌极窄，大多为披针形。叶片并无毛，可见明显的横生小脉。花序是假圆锥状的，生于枝顶。小穗呈纺锤形，含1朵小花，并具有1片不孕外稃，前端有短且锐的尖。内稃较宽，前端为钝状。子房近乎棒状，花柱细长。”朱有德继续解释道。

“原来是这样。那这天竺黄有什么功效呢？”

“天竺黄味甘，性寒，最能清热豁痰、凉心定惊，所以，有痰热咳嗽、中风痰迷不语、热病神昏谵妄、癫痫等症，就需要用它治疗了。《开宝本草》记载，它‘主小儿惊风天吊，镇心明目，去诸风热，疗金疮止血，滋养五脏’。”朱有德说着，满意地看着那块状物。

“真是好东西！师傅，我帮您收起来吧！”小神农笑着，将师傅手中的天竺黄放进了抽屉里。

胡颓子叶——治喘咳的利药

一大早，师徒二人便来到药房整理草药。朱有德近日非常繁忙，经常出门为患者看诊。仔细算来，小神农已有半个月没有见过朱有德了。

“师傅，您出门这么久，有没有想徒儿啊？”小神农偷偷笑着问道。

“当然想你了，我每天都记挂着小神农，怕他又给我闯祸。”朱有德边笑边说。

“我这些天可乖了！才没有闯祸呢！”小神农不服气地说，“我新认识了几种草药，考考您怎么样？”

“考我？你胆子变大了啊！你说吧，为师听着。”朱有德笑道。

“听好了啊！这种草药的枝向外展开生长，小枝呈褐色。叶为厚革质，形状为椭圆至长圆形，先端为尖状或钝状，基部为圆形。它的边缘通常呈波状，叶背初具有银白色的鳞片，随后慢慢变为褐色鳞片。花为1～4朵簇生，大多为银白色的伞形花序，下垂生长，带有香气。花朵呈筒形或漏斗形，筒部在子房上部逐渐变细，先端分4裂。这种草药的果实为椭圆形，表面被锈色鳞片，成熟后可变红色，很好看呢。请问我所说的是哪种草药？”小神农假装严肃地问道。

“这就想难住师傅啊？不就是胡颓子叶嘛！”朱有德立刻说出了答案。

“我就知道肯定难不到您！”小神农嘟起了嘴。“药性呢？它的药性有哪些？”小神农继续问道。

“这还不简单，《本草纲目》中说它味酸，性平，无毒，治喘咳，出《中藏经》，甚者亦效。云：‘有人患喘三十年，服之顿愈。甚者服药后，胸上生小瘾疹作痒，则瘥也。虚甚加人参等份，名清肺散。大抵皆取其酸涩，收敛肺气耗散之功耳’。所以，这胡颓子叶可以化痰止咳，治疗咳嗽气喘、痈疽、咳血、外伤出血等症状。”朱有德微笑道。

“好吧！就算您过关了！”小神农缓缓说道。

“既然我答对了问题，那么小神农师傅可否给我做好吃的饭菜呢？”朱有德大笑道。

“那我就勉强答应您的请求吧！”小神农也大笑起来。

冬瓜子——清肺化痰的白瓜子

“小神农？小神农……”朱有德呼唤着小神农的名字。

“来啦，来啦，怎么啦师傅？有什么事情吗？”小神农一路小跑着来到了院子里。

“你有没有看到我晾在地上的冬瓜子？”朱有德问道。

“冬瓜子？就是那种黄白色的，扁扁的，长约1厘米，宽约6毫米的长圆形或长卵圆形模样的种子？小神农回答道。

“对对对，没错！就是那些，有的种子外表面有裂纹。这种子通常一端圆钝且较宽，另一端较尖，尖的一端生有凸起，但只有2个，一个是种脐，一个具珠孔。仔细观察：冬瓜子有单边以及双边之分，

单边冬瓜子的边缘较为平滑。种皮被剥掉后，能看见种仁，色白，具油性，还能散发出微淡的气味。”朱有德自语道。

“那就没错了！它们已经被我给扔掉了！”小神农不以为然地说道。

“扔……扔了！你给扔了？那可是我特意晾晒的！”朱有德有些激动地说道。

“啊！这……我还以为是谁不小心扔在地上的呢，早上，我打扫院子的时候顺便给扔掉了。”小神农不禁皱起了眉头，“师傅，那冬瓜子随处可见，而且又不值钱，您怎么还把它们当成宝贝一样啊？”小神农实在理解不了朱有德的所作所为。

“傻孩子，冬瓜子是可以入药的！它味甘，性凉，具有清肺化痰及排脓之效。若是有人患有肺热咳嗽，肺痈等症，冬瓜子便能起到极大的疗效！《本草述》中说道，‘主治心经蕴热，小水淋痛，并鼻面酒渣如麻豆，疼痛，黄水出’。”朱有德介绍道。

小神农听后，不禁感慨道：“哇，真想不到，这小小的，极不起眼的冬瓜子，却有如此之大的疗效。”

“冬瓜子，又被称为冬瓜仁，即冬瓜的种子。”小神农突然像背书一样说了起来，“冬瓜有蔓生以及架生之分，但都为一年生的草本植物。其茎上长有棱沟及毛。叶片为肾状的近圆形，基部呈心形，互生，正、反面均被毛，有些具浅裂，有些则具中裂，同时还有小齿生于叶片边缘处。”小神农咽了口唾液继续说道，“网络状的叶脉微微凸起。冬瓜的花开在5～6月，花朵生于叶腋处，单生且单性，花冠为黄色，5裂；雄花具卵形花药；雌花则具长卵形、长圆筒形的子房。冬瓜具肉质瓠果，其外形有长圆柱状以及近球形之分，有硬毛生于其上。师傅，我说得正确吗？”小神农问道。

“完全正确！”朱有德点着头道，“看来，你对冬瓜还是有所了解的嘛，但是为什么……”朱有德一想起冬瓜子被扔掉了，就不禁心

疼起来。

“其实，我认识那些是冬瓜子，我也知道它可以入药，我刚才是逗您玩的！我将晾晒好的冬瓜子收入药柜内了！您就放心吧！”小神农笑着说道。

“你这个小家伙啊……”朱有德也跟着笑了起来。

千日红——支气管哮喘之妙药

由于气温在不断升高，小神农与朱有德二人便将草席铺在了院子里，二人已经一连几晚睡在院子里了。

小神农一边看着天空中的星星，一边喃喃自语："一年生的直立草本，高20～60厘米，茎较为粗壮，有分枝，枝条近乎四棱形，其上有灰色糙毛。叶片呈长椭圆形，纸质，顶端急尖，基部逐渐变狭，边缘呈波状，两面有细小的斑点、白色长柔毛及缘毛。"

"在复习千日红啊？"朱有德问道。

"师傅您又知道了！"小神农说道。

"继续往下说，我看你说得全不全。"朱有德闭着眼睛说。

“千日红的花果期为6～9月，花朵密生，形成矩圆形头状花序，颜色紫红，也有淡紫及白色。总苞2个，苞片心形，两面均有灰色长柔毛。小苞片三角状披针形，颜色紫红，前端尖，背有细齿缘，内面下陷。花瓣披针形，前面尖，不展开生长，外面伏有白色绵毛。其胞果为近球形，内有肾形种子，颜色深棕，色泽光亮。”小神农说着，依旧眼也不眨地看着空中的星星。

“说得还不错，那千日红的药性如何？”朱有德提问道。

“千日红的花序可以入药，其味甘，性平，有止咳祛痰、定喘、平肝明目的功效。所以主要用来治疗支气管哮喘，急、慢性支气管炎，百日咳，肺结核咯血……”小神农还未说完，便睡了过去。

“你呀，一说到药材，就要打瞌睡了。”朱有德轻声说着，拿起一条毯子盖在小神农身上，看着小神农很快便进入了梦乡。

鼠曲草——止咳祛痰的草本

“好香啊！什么东西这么香啊？”小神农闻着香味跑到厨房。

原来今天是朱有德的生日，师娘特意做了一只烧鸡。

“啊！烧鸡！真的是烧鸡啊！”小神农并不知道其中的缘故，伸手就要去拿了吃。

“啪！”朱有德打了小神农的手，“你都不问问今天为什么吃烧鸡？”

“咦，对啊，今天为什么要吃烧鸡呢？师娘，为什么呀？”小神农马上问道。

“今天是你师傅的生日，为了表示庆贺呀。”师娘笑着说。

“哎呀，原来是师傅的生日啊，我都没准备礼物。”小神农这下着急了，搓着手不知如何是好。

“没关系，我们按老规矩，答对问题就可以吃烧鸡。如果能一次回答正确，而且毫不犹豫，就算是你给师傅的礼物了，怎么样？”朱有德宽容地说。

小神农望了望盘子里的烧鸡，又看了看朱有德，咽了口口水后说道，“好！这次要考什么？”

“鼠曲草！”朱有德边说边将烧鸡放到桌子中间。

小神农坐在桌边，张口便说："鼠曲草是一年生草本植物，它的茎直立生长或基部发出的枝下部斜向上生长，高10～40厘米，上部并没有分枝，表面有沟纹，具白色厚棉毛，分节。叶子没有柄，形状大多为匙状倒披针形或倒卵状匙形，叶下端逐渐变狭并稍稍下延，顶端则为圆状，并有带刺的尖头。叶片两面都生有白色棉毛，通常叶表较薄，具1条不明显叶脉。鼠曲草生头状花序，于枝顶密集成伞房花序，花颜色大多为黄色至淡黄色。总苞片钟形，有2～3层，颜色大多为金黄色或柠檬黄色，并具有光泽，外层则呈倒卵形，背面基部被棉毛，顶端为圆状，基部逐渐变狭。这种草两性花的数量较少，并全部为管状，檐部分5个浅裂，裂片呈三角状并渐尖。花谢后结瘦果，形状为倒卵形或倒卵状圆柱形，具有乳头状的凸起。"

将鼠曲草的特征一次性背完后，小神农长舒一口气，嘿嘿笑着说："紧张死我了，真怕背错了。"

“你还没有背它的药性呢？”朱有德则在一边悠闲地提醒。

“鼠曲草的茎、叶均可以入药，其味甘，性平，止咳平喘、祛痰除湿之功效极强，所以主要用来治疗咳嗽、风湿痹痛、跌打损伤有痰、气喘，甚至是毒蛇咬伤等症，同时它还可以调节血压。师傅我答对了吗？”小神农期待地看着师傅。

“不错，看来要奖励你一条鸡腿吃才行。”朱有德笑着将一条鸡腿放进小神农碗里。

没想到，小神农却将它又放回朱有德碗里，说：“今天是师傅的生日，所以应该师傅吃鸡腿才对。而且，师娘做饭也辛苦，另一条鸡腿就给师娘吃。”说着，他撕下另一条鸡腿，放进了师娘的碗里。夫妻俩看着懂事的小神农，不由同时笑了。

款冬花——止咳化痰的花朵

冬日的早晨，风和日丽，正是钓鱼的好天气，朱有德决定带小神农外出钓鱼。小神农简单收拾了鱼竿、饵料，就和朱有德一起出发了。

一路上小神农沐浴着阳光，心旷神怡地左顾右盼。沿着溪边行走的时候，一簇簇鲜艳金黄的小花映入小神农的眼帘，他好奇地蹲下来嗅一嗅，充满惊喜地对朱有德说：“师傅，您快来看，这里居然有菊花耶！”

朱有德听了后也停下来看个究竟，当他观察完这小花后却摇摇头，笑着说，“傻孩子，此花非彼花。你想一想，菊花一般是在秋天开放的，可现在已经是冬天了。”小神农恍然大悟，“原来这不是菊花呀！师傅，那这是什么花呢？”他迫不及待地发问。

朱有德从花丛里摘了一朵小花，撕开苞片，白色丝状棉毛就在小神农眼前呈现出来。“你仔细看一看，”朱有德边撕边说道，“这叫款冬花，是菊科植物款冬的花蕾。没开花时有短棒形的头状花序，有1～2.5厘米的单生或2～3花序基部连生，民间称之为‘连三朵’。上端粗壮，往下则慢慢变细或带有短梗，由许多鱼鳞状苞片包裹着。其苞片外表为红紫或淡红色，内表则密被白色絮状茸毛。”小神农看着师傅，也用手撕下一片棉毛，点点头说道：“原来如此！师傅，那它跟菊花还有什么不同之处呢？”

“款冬花和菊花虽然同属菊科植物，但并不同属，也就是说它们的药性是有区别的。菊花属清热药，而款冬花属化痰止咳平喘药，主治多种咳嗽，为止咳良药。”朱有德耐心地解释，“别看它长得小小的，它可是支气管哮喘病的天敌呢！款冬花可以润肺养阴、温化寒痰、化痰止咳。对寒邪袭肺而引起的咳嗽、哮喘症都有很好的效果。古书所说的‘主咳逆上气善喘，喉痹，诸惊痫，寒热邪气’，说的正是款冬花。”

小神农听完，想了一想又问道：“师傅，支气管哮喘病在冬天的发病率很高，那么我们该如何使用款冬花治疗呢？”

朱有德接着说：“款冬花不仅可以生用，也可以蜜炙后再服用，而且蜜炙后止咳功能明显加强。加入百合一起慢火煎煮成茶饮，有清热润肺、清心安神、止咳化痰的食用功效，是一款不错的养生茶饮。”

听到这里，小神农开心地拍拍手掌，“太好啦，我们钓完鱼就回去泡款冬花百合饮吧！”朱有德笑了笑，“小神农都会现学现用啦。”

师徒俩有说有笑，继续沿着溪边前行。

——清热解毒的多功效小花

一个风和日丽的下午，朱有德打算去隔壁村李叔家洽谈采药事宜。小神农温习完当天的医学功课后，也准备和师傅一同出门前去李叔家做客。

可是来到李叔家时，却见李叔抱着啼哭不止的二毛坐在客厅藤椅上，“哎呀，你们来啦！”李叔连忙招呼着朱有德和小神农，“来得正好。我正想去找你们呢。这几天，我家二毛一直咳嗽不断，每天哭哭啼啼。你们快给看看是怎么回事吧。”

朱有德和小神农来不及坐下，围在李叔身边，只见二毛无精打采地耷拉着头，“二毛你怎么啦？”小神农关切地问道，“师傅您快给他看一下吧！”

朱有德经过一番望、闻、问、切之后，说：“二毛是患上了百

日咳。”

“这可怎么办呢，现在家里的药所剩不多，还需要再去采药呢。”李叔话音刚落，小神农就迫不及待地说：“李叔，那我现在回药铺去拿吧！”朱有德听完忙说道：“且慢。”

接着朱有德又问李叔，“现在你家里有没有钩藤和忍冬藤、鱼腥草、玉叶金花这些药材呢？”李叔想了一下，回答说有。

“那好，徒儿你不用回去拿了。”朱有德说。

看到小神农一脸疑惑，朱有德一字一顿地说道：“学习忌心浮气躁。你仔细回想一下，你刚才在来的路上有没有看到什么植物是属于药材的？”小神农陷入回想，然后问：“难道是李叔家门口那些小花？”

“对了。”朱有德露出笑容，“那些小花的茎部贴地，上端接近直立，叶子为长3～7厘米，宽7～13毫米的椭圆形或线形，而它的花期就在3～9月，花冠如钟一般。瘦果约4毫米。你可别看这种植株矮小，但它可是止咳化痰的良药哩！”

“真的吗？”李叔和小神农异口同声地问道，“它叫什么名字呀？”

“它叫蟛蜞菊。”只听朱有德不紧不慢地说，“蟛蜞菊也叫黄花龙舌草或田黄菊。味甘、口感带涩。整株都可以入药，书中曾记载其‘清热解毒。治白喉、百日咳、肺痨发热咳嗽、痢疾、肝火旺盛、烦热不眠、咽喉肿痛、齿龈炎’，这说明它对白喉、咽喉炎、百日咳、支气管炎、肺炎等疾病都有着很好的疗效。”

“原来小小的花还有这般止咳化痰的功效呀！”小神农若有所思地说道。

于是，在李叔和朱有德煎药期间，小神农一边照顾二毛，一边默默地将今天所学的知识记在脑里。

蕙兰——美貌与药用并重的兰花

和风习习的一天，朱有德和小神农出门去隔壁乡镇采药。回家的路上，他们经过一间私塾，里面传来一阵阵清脆响亮的朗读声，吸引着小神农停下来驻足，全神贯注倾听。

“既滋兰兮九畹，又树蕙之百亩。畦留夷与揭车兮，杂杜衡与芳芷。”小神农站在私塾外一字一句地跟读着，朱有德也停了下来，站在一旁看着小神农摇头晃脑地朗读着楚辞，默默地赞许小神农这种认真的学习态度。

听完一遍后，他俩继续赶路。小神农脑海里反复回味着刚听过

的那篇楚辞。“咦？”这时他突然发现了一个问题，“句中的‘蕙’是指什么呢？”他想了一想，然后向朱有德发问。朱有德并没急着回答，而是带着小神农走到一片草地上，两人放下竹篓，席地而坐。

“师傅，蕙是一种植物吗？”小神农一脸好奇地追问道。

朱有德点点头：“对的。‘蕙’就是如今人们所说的蕙兰。蕙兰属兰科的地生草本植物，又叫化气兰或者土百部。它集生成丛，花葶近直立或微微倾斜。一般有5～8片叶子，且叶脉透亮。蕙兰花花期差不多在3～5月，普遍是一茎多花，呈浅黄绿色，唇瓣带着点点紫红色斑。蕙兰的蒴果长5～5.5厘米，宽2厘米，扁椭圆形。它常与伞科类白芷被合称为‘蕙芷’。”朱有德边说边用手比划给小神农看。

小神农点点头，又问道：“师傅，那蕙兰是不是也可以入药呢？又有什么功效吗？”

朱有德心平气和地说：“医书里曾这样记载过：‘草松筋，黑水松筋，根治咳嗽、蛔虫病、头虱’。也就是说，蕙兰除了其观赏价值以外，药用功效也不容忽视。尤其是化痰止咳的功效更值得一提。蕙兰整株均可入药。株盛时将其采下，洗净暴晒即可成药。蕙兰味辛，性平，具有滋阴清肺、化痰止咳的功效。对小便不利、肺痨咳嗽、胃脘疼痛等症状都有不错的疗效，也可用于治疗常年缠身的顽固性咳嗽。”

师徒俩继续一问一答，不知不觉已日落西山，便起身回家了。

——珍贵的止咳中药

今天阳光明媚，凉风至，宜出行。一大早，小神农就陪同朱有德外出，前去拜访住在寺庙中的一位僧人朋友。

朱有德和僧人已多日没见，好友重逢，必品茗叙旧一番。叙旧之后，僧人又带领着朱有德和小神农师徒俩参观寺庙的后花园。

后花园里百花争艳，一派姹紫嫣红。小神农兴奋地穿梭其中，领略这一美不胜收的景象。这时，一株奇特的植物出现在他面前。于是小神农便停下仔细观察，而后不禁发出感叹：“师傅，师傅，您快来看，这兰花好特别呀！”

刚与僧人走在前面的朱有德一听，便回到小神农身边，看了看，

笑眯眯地问小神农："徒儿，你觉得这兰花特别在哪呢？"

"您看，这兰花叶片稀疏，又硬又直。花葶就像直立的圆柱状，可长达1米。植株整体高大且好看，颜色层次分明。看，这兰花的背面是白色，里面却呈暗赭色或棕色。椭圆形的花瓣微微上卷，将蕊柱紧紧护住，前缘波状，与萼片差不多长，但是相对来说较窄，前端较钝。闻一闻，香味扑鼻。"小神农边说边做出嗅闻状。

朱有德忍俊不禁，说："说得很准确。看来徒儿进步不少，那你可知道这是什么兰花吗？"小神农百思不得其解，于是摇摇头，向朱有德投去疑惑的眼神。

"这叫鹤顶兰。"朱有德指着鹤顶兰向小神农说道，"它是兰花的一种。别名大白及、猴兰、鹤兰。鹤顶兰不仅拥有极高的观赏价值，同时也是一种珍贵的中药材，有着良好的化痰止咳功效。"

小神农一听兴致勃勃，"真的吗？那我要好好了解下才行。"

朱有德接着说道："鹤顶兰味微辛，性凉，以假鳞茎入药。有着止咳化痰、活血止血的功效，又分外敷和内服两种。让我来考考你，你知道要怎么外敷或内服鹤顶兰吗？"

小神农低头回想一下在医书上学过的知识，联系朱有德刚才讲过的内容，便作出回答："如果想要治疗咳嗽的话，可用鹤顶兰的假鳞茎煎汤；若是碰上跌打损伤或者外伤出血的话，则可捣碎鲜品或将其磨成粉末撒在患处。"听到小神农对答如流，朱有德欣慰地露出笑容。

"嗯，不过书中有一句话，你可得好生记着：鹤顶兰，孕妇慎服。"朱有德点了点头补充道。

时间飞逝，很快就到了日薄西山的时候，朱有德和小神农这才与僧人告辞回家。

米仔兰——芬芳迷人的多效中药

盛夏的一个傍晚，小神农温习好当天的医学功课后，便约隔壁家的小孩笑笑去村边玩耍。当他们行走于草木茂盛的山路之间，经过某株植物时，一股若有似无的香气一直萦绕不去。笑笑和小神农深吸着这股花香，寻着味走到这株植物面前。

只见这株植物枝繁叶茂，枝条健壮，叶子是深绿色的，上面垂挂着一粒一粒小小的金黄色的东西，随风摇曳，发出淡淡清香。“小神农哥哥，这是小果实吗？可以吃吗？”笑笑歪着头好奇地问。

小神农也答不上来，看到笑笑忍不住想要去摘面前这些黄色的小东西时，小神农连忙拉住他的手，“笑笑，不如我摘一些回去问我师傅吧。如果是可以吃的话，我们下次再来摘好不好？”

“好呀！”笑笑答道，于是两人便高高兴兴地回去了。

一进门，小神农便手捧采回的果实，兴冲冲地跑向朱有德，“师傅，您看，这是我新发现的植物，它叫什么名字？”

朱有德放下手中的书，接过“果实”看了看，又谨慎地闻了一闻，说道，“嗯，这是米仔兰！你是如何发现的？”小神农便向朱有德一五一十地汇报了发现米仔兰的过程。

朱有德把果实放在桌上，小神农跟着坐在椅子上，托着下巴问：“师傅，这米仔兰的果实能不能吃？”

“米仔兰，有人也叫它米兰、鱼仔兰，因为它开的花只有米粒大小。常见品种有大叶米兰和小叶米兰，是一种优良的芳香植物。不过你摘的这小东西可不是米仔兰的果实。”朱有德答道。

小神农拿着那金黄色的小东西瞪大眼睛问：“不是果实那是什么？”

“这不是果实，而是米仔兰的花！”朱有德忍不住发笑，摸了摸小神农的头，“这米仔兰也是好东西，它的花、枝、叶都可入药呢。花味辛、甘，性平和。可以很好地行气解郁、醒酒止渴。值得注意的是，它的花对止咳化痰也有不错的疗效。枝叶则有活血化瘀、消肿止痛的作用，可用在跌打损伤、风湿性关节炎等症的治疗上。”

小神农听到这里，茅塞顿开，用手拍一拍脑袋，“那下次可要多采些回来做药材！”紧接着又问：“师傅，那是不是米仔兰采收后要除去杂质，晒干才可以入药呢？”

朱有德点点头，“正是如此。书中还有一句重要的记载，你可别忘了——‘孕妇忌服’。”

次日一早，小神农就和朱有德一起出发去采集米仔兰了。

杠板归——有故事的止咳良药

今天微风和畅，阳光明丽。小神农哼着小曲，心情十分畅快，因为今天是和师傅上山采药的日子。一想到可以学到更多药材医学方面的知识，小神农就意气风发，背着小背篓走在路上蹦蹦跳跳。

到了山上，小神农突然感觉到脚下一阵轻微刺痛，他不禁蹲下来察看。

小神农低头拔掉脚上的小刺，同时映入眼帘的竟还有一株植物。仔细一看，它的茎部有纵生的棱，叶子是淡绿色的三角形，花是小小的深紫红色，果实是黑色的球状。小神农拨开叶子定睛一看，原来棱

上的钩刺也各不相同，有的是倒着生长的，有的形状是散开的。小神农激动地向朱有德宣布他的新发现，“师傅！这株植物有棱有角的，您快过来瞧一瞧！”朱有德见状，也停下来留意观察。

“这是杠板归。”朱有德说道，“你看这植物，它的叶柄差不多与叶片等长，有倒生钩刺。叶子的形状跟托鞘类似，果实是球形的，暗褐色且有光泽，包在蓝色花被内。对不对？”

小神农点点头，朱有德接着说：“古语云‘四五月生，至九月见霜即无。头尖青，如犁头尖样，藤有小刺，有子黑如睛’，说的就是它。”

小神农听罢皱着眉头，“可是它为什么叫杠板归呢？”

“好问题。”朱有德从容不迫地答道，“这里还有个有趣的典故呢。相传，以前有个人被蛇咬了，病入膏肓，大夫看诊后也无力回天。就在家人开始给他筹备起葬礼，棺材板都已经抬来的时候，有位兄弟带来了这味草药，在伤口上一敷，竟然把人治好了。因此，做好的棺材板又给人家抬了回去。于是这种植物就此得名啦。”

“真有意思！”小神农兴奋地抓起一片叶子来看，“师傅，您看，它的形态也很有趣。它的叶子接近正三角形，是很少见的呢！细小的茎顶在叶片的内部，而不是顶在边缘上，茎上还有小圆叶片，看起来就像是茎贯穿了圆圆的

叶片一样！”

“没错，杠板归就是这么特别的一种植物。从中药的角度来讲，它味酸，性微寒，有着清热解毒、利水消肿、止咳化痰的功效。主要对咽喉肿痛，小儿顿咳，湿热泻痢，蛇虫咬伤等病症有很好的效果。”朱有德见小神农听的聚精会神，便接着说道：“杠板归要以干燥地上部分入药，开花时采割，晒干，除去杂质，略洗，切段，干燥后即可使用。”

小神农顿开茅塞，“想不到这小小的杠板归里面还有这么大的文章。真好，又跟着师傅上了一节课！”

师徒俩沿着山路继续前行采药，留下一路的欢笑声。

柳叶白前——专治咳嗽的灵丹妙药

阳春三月，春风送暖，正是踏青郊游的好时节。这天早上，朱有德决定带小神农出游寻芳，觅春踏青。于是小神农换上新鞋子，欢欣鼓舞地出门了。

师徒俩来到村外，正徒步绕湖行走。小神农只顾着欣赏这湖光春色，不知不觉中脚步加快，走到溪边时突然脚底一滑，猛地一下摔倒了。

“哎呀！”小神农咕哝道，俯身一看，原来自己踩到了一株植物。

“徒儿，你没事吧？”朱有德赶过来一看，发现小神农正趴在地上认认真真地观察他脚下那株植物呢，不禁莞尔一笑。

“师傅，您看，这是芫花叶白前吗？”小神农似乎忘记了刚才的

疼痛，指了指这株植物，回头问朱有德。

朱有德不慌不忙地伸手将小神农拉起，帮他拍拍膝盖上的泥土，说：“徒儿，你再仔细看看这株植物长什么样子。”

小神农定了定神，睁大双眼研究这株植物，接着说：“它的根茎细长并且垂直生长，呈匍匐状，单叶对生，叶柄相对短小；灰绿色的叶片呈披针状的柳叶形，先端比较尖，基部缓慢收小，边缘则是反卷的；下部的叶片正相反，较短而宽，顶端的叶渐短而狭。植物的全体光滑无毛，有数朵小花。”

“说得很详细，”朱有德赞许地点了点头，“不过，我们仍需进一步细究。”

朱有德从地上拔出其中一条根茎，“这株植物叫柳叶白前。与芫花叶白前极为相似，许多人都不能正确地区分它们。”朱有德说着便摊开根茎给小神农看，“你看，柳叶白前的节上簇生多数纤细、略弯曲、分枝的须根。”朱有德细心讲解，“柳叶白前的药用价值相当的高，它可是止咳化痰的灵丹妙药呢。”

“真的吗？”小神农按耐不住好奇地发问。

“柳叶白前是一种成片生长于溪边的植物。它的根状茎及根部制成中药后，味辛、甘，性微寒，能清肺热、降肺气、化痰止咳，为镇咳祛痰药，可治感冒引起的咳嗽喘息，慢性支气管炎等症。古书云‘白前，长于降气，肺气壅实而有痰者宜之。若虚而长哽气者不可用。张仲景治嗽而脉沉者，泽漆汤中亦用之’，说的正是柳叶白前。也就是说，柳叶白前长于祛痰，降肺气以平咳喘。特别重要的一点是，无

论属寒属热，外感内伤，新嗽久咳均可用之。”朱有德娓娓道来。

“原来这柳叶白前对止咳化痰有这么重大的功效，看来我是踩到宝啦！”小神农笑嘻嘻地说。

师徒俩谈笑风生，继续游览于大好春光之中。

牡荆子——神似薰衣草的中药

阳光明媚、暖风和煦的一天，朱有德的老朋友李叔带着他的孩子二毛来到朱有德的药铺，约他和小神农一起外出踏青。

一路上春色正好，小神农拉着二毛的手走在前面。二毛也显得很兴奋，在小神农身边左顾右盼，欢快不已。当他们路过一片草地的时候，二毛看到眼前有一簇簇淡紫色的小花，于是拉住小神农的手，“小神农哥哥，这里有薰衣草耶！”

小神农也被这丛美丽的小花吸引住了，“好漂亮啊！”小神农定眼细看，“可是这应该不是薰衣草吧？”

“那这是什么呢？”二毛不解地问。两人你一言我一语的对话传

到李叔和朱有德的耳朵里，于是他们也走过来这片草地。

“师傅，这是什么植物呢？”小神农想了半天还是想不出来，于是向朱有德求教。

朱有德向前仔细端详这株植物，“徒儿说的没错，这的确不是薰衣草。”见二毛露出吃惊的表情，朱有德继续说道，“这是一种止咳化痰的好药材，名为牡荆子。”

“牡荆子？”这次轮到小神农疑惑不解了。

“从形态上来看，它的花冠是淡紫色的，颜色确实有点像薰衣草。但它们还是有区别的。牡荆子的新枝是四方形，表面光滑，密被细毛。你们看它的叶子。”朱有德将一片叶子摊开，“它的叶子是绿色的，覆盖着星星点点的油点。沿叶脉长有短细

毛，新叶的背面毛比较繁杂，两侧的叶子形状不一样，是卵形的。叶子表面的绿色比较深，背面稍微淡一些。”

小神农点点头，听得十分认真。

“《本草纲目》里面有一句话：‘牡荆，处处山野多有，樵采为薪，年久不樵者，其树大如碗也。’说的就是牡荆子。”朱有德补充道。

“师傅，那您刚才为什么说它是止咳化痰的好药材呢？”小神农提出了心中的疑惑。

朱有德看到小神农双眼流露出的求知神色，笑了笑，说：“没错。牡荆子味微苦，性温。对咳嗽哮喘，中暑发痧，胃气等症有很好的疗效。此外，它也可以用于止咳化痰。”

“原来如此！”小神农茅塞顿开。

“朱大夫！小神农哥哥！你们快过来踢球啦！”二毛在不远处喊道，原来他和李叔不知何时做个了个硕大的草球，而且已经摆好架势，准备就绪了。

“好！”小神农欢快地向他们跑去。

不一会儿，空地上就传来了师徒俩和李家父子的欢笑声。

马兜铃——全身都是宝的“小铃铛”

这天晌午，小神农温习完医学功课后没事干，于是他问朱有德：“师傅，我们晚饭吃什么呀？”

正在看书的朱有德听到小神农的话，又看窗子外面晴空万里，暖风和煦，就问小神农：“徒儿，你师娘串亲未回，我们不如借机来一次野炊怎么样？”

“好啊！”小神农一听就兴趣盎然，拍手称好。接着他便跑到厨房里简单收拾下野炊所需的材料和工具，蹦蹦跳跳地和朱有德一起出发了。

师徒俩来到村外的一片空地，发现这里很适合野炊。于是，小神

农放下工具，准备去捡柴火。当他走过一片灌木丛时，突然看到了一种从未见过的植物，他不由得停下脚步细看。只见这植物的果实一个个圆鼓鼓的，大小有如他半个手掌。小神农正犹豫这植物能不能摘来当饭后点心，就闻到有一股臭味，原来是这株植物的花散发出来的。

这究竟是什么呢？小神农的好奇心被进一步激发了，他捡完柴火后，顺手摘了两个果实回去。

朱有德此时正在清洗蔬菜，小神农举起两个果实，大声说："师傅！您看！我带来了什么？"

朱有德擦了擦手，接过来仔细一看，笑着说："好徒儿，你把马兜铃给摘来啦！"

"师傅，什么是马兜铃呀？"小神农显然还不满足于这个答案。

朱有德把马兜铃拿到小神农跟前，说："马兜铃，又名臭铃铛。长出来的果实可以作为中药材。因为它的果实与系于马颈之下的铃铛很相似，所以叫马兜铃。”

小神农拿着一个马兜铃在手中仔细观看。“马兜铃是一种缠绕性草本植物。它的根细长，为圆柱形，黄褐色。茎草质，绿色，叶互生，叶柄呈现出丝状。叶片是三角状的阔卵形，先端钝或钝尖，基部心形。叶面是绿色，叶子背面却是淡绿色，花朵暗紫色，散发出一种腐肉的气味。不过，马兜铃的根却被称为青木香，藤被称为天仙藤，都可入药，具有清肺降气、止咳平喘、清肠消痔的功效。”朱有德说。

“师傅，您的意思是马兜铃的果实、根、藤皆可药用？”小神农追问道。

“正是如此。”朱有德耐心地解释，“从中药的角度来说，马兜铃味苦，性寒，对止咳化痰尤其有用。医书里说它‘主肺热咳嗽，痰结喘促，血痔瘘疮’。也就是说，马兜铃具有清肺降气，化痰止咳和清肠消痔的功效，可用于肺热喘咳、痰中带血等症。”

小神农听得全神贯注，脸上的疑惑也一点一点地舒展开来，最后露出了开心的笑容。于是，他继续帮忙朱有德烧柴火，一场别具风趣的野炊即将开始。

天仙藤——理气止咳的利药

这天中午，阳光灿烂，天气晴朗。小神农洗碗时突发奇想：把药铺里的药材每一样都拿出来晒一下，同时也可以复习之前的医学功课。

没想到，他的这一想法得到了朱有德的赞许。于是洗完碗后，小神农来到在分门别类、井井有条的药柜门前，开始搬药材了。

小神农小心翼翼地，不敢出一丝一毫的差错。就在这时，一种熟悉的药材出现在他面前。“这是什么？”小神农抓起眼前的中药来看，“这是师傅之前说过的马兜铃的藤，天仙藤吗？”小神农想了一想，决定向朱有德求解。

“师傅，这是您在讲马兜铃时提过的马兜铃的藤，天仙藤吗？”小神农拿着手上的药材，走到正在院子里看书的朱有德旁边坐下后发问。

朱有德一听来了兴趣，于是放下手中的书，拿过小神农递上的药材看了看，说道：“徒儿，你说得没错，这就是天仙藤。是马兜铃的干燥地上部分。来，你跟师傅说说，它的形态是怎样的？”

见师傅准备考一考自己，小神农开始正襟危坐，观察着天仙藤。思考过后，他一本正经地回答：“这天仙藤看起来有棱脊还有小节，节间有的长有的短；叶互生，叶片有的是三角状狭卵形，有的是三角状宽卵形。基部呈现心形，叶子颜色有的是暗绿色，有的是淡黄色，叶柄比较细长。”说着，小神农把其中一根折断开来，继续对朱有德说，“师傅，您看，它的质地比较脆，易折断，仔细看看，它的断面有几个大小不一样的小管。”接着小神农把天仙藤凑近鼻子嗅了一下，形容道，“天仙藤闻起来气清香，味微淡。”

“很好，徒儿近日大有进步，为师十分欣慰。”朱有德会心一笑，拉着小神农的手，问：“那你能说说它有什么功效吗？”

“天仙藤有止咳化痰的功效，对吗，师傅？”小神农试探地问道。

“对的。”朱有德接过小神农的话，“在中药中，它是以化除痰涎或消除痰为主要功效的。医书中说它‘凉血活血，祛风利湿，走经

络，兼治腰腿肿疼’。而且，除了止咳化痰之外，它还有理气，祛湿，活血止痛的功效。”朱有德绘声绘色地说道。

听完朱有德的讲解，小神农深吸一口气。自己在学习医学的道路上还存在许多不懂的地方，需要坚持不懈一步一个脚印去弄清楚，理解并掌握。想到这里，小神农便回到药柜面前，认认真真继续他的整理工作。

暴马丁香——止咳化痰的花茶

天气晴和，清风送爽的一个下午，朱有德想起自己向李叔借的医书已看完，就问小神农要不要一起去李叔家还书。小神农刚好温习完当天的医学功课，正想出去外面走走。于是，两人欣欣然一同前往李叔家。

来到李叔家的客厅，朱有德把书还给李叔后，便开始坐下来交谈。小神农坐在一边认真地听着。这时，李夫人从里房出来，手上端着茶，“朱大夫，小神农，”李夫人热情地招呼道，“你们请喝茶。”

小神农连忙起身道谢，恭恭敬敬地接过茶杯，先递给师傅一杯，

然后再拿一杯递给李叔，最后才拿一杯在自己手上。

小神农打开茶盖，闻到一股清雅的芳香，于是举起来仔细端详。原来这是一杯花茶，几片花瓣浸润在温水里。小神农轻抿几口，有种淡淡的花香，令人感到心旷神怡。他不禁发出感叹："李叔叔，这是什么花呀？真好喝！"

李叔笑得合不拢嘴，"这叫暴马丁香，是上次你师傅拿过来的，挺不错的吧！"

"是啊！"小神农连连点头，内心却出现了一个疑问，于是他问朱有德："师傅，这暴马丁香是什么呢？"

朱有德放下茶杯，从从容容地说："暴马丁香，又名暴马子、白丁香、荷花丁香，具有直立或开展枝条。它的树皮是紫灰色的，且有细裂纹。枝为灰褐色，皮孔较密。它的叶片较厚质，形状各有不同，有宽卵形、卵形还有椭圆状卵形，长2.5～13厘米，宽1～6厘米，就像这样长。”朱有德用手比划着给小神农看，接着说道，“暴马丁香的叶子上面是黄绿色的，下面淡黄绿色。先端短尾尖，至尾收长，基部常为圆形。可以明显看到叶子侧脉和细脉凹入，从而使叶面看起来像皱缩了一样。”

朱有德端起茶杯，轻叩几下杯缘，轻轻吹了口气，抿了抿，盖上茶盖，继续说道：“作为一种著名的观赏花木，暴马丁香不仅好看，其药用价值也不容小觑。它可谓全身都是宝，其树皮、树干及枝条均可药用。古书记载它‘补肝、润命门，暖胃、去中寒，泻肺、散风湿’。它味苦，性微寒，具有清肺祛痰、止咳、平喘功能。通常而言，用于治疗咳嗽、痰多以及支气管炎等病症。暴马丁香是全株可入药的中药材，比如它的嫩叶、嫩枝可调制茶叶，而且它的花也有不错的药效，常采集来做成暴马丁香花茶，也就是我们现在手上这杯集清热解毒和祛痰止咳功效于一身的香茶了。”

听罢，小神农若有所悟地点了点头，又捧起茶杯细细啜饮，继续听着朱有德和李叔谈古道今，屋里茶香飘逸，别有一番雅趣。

曼陀罗——可以入药的毒花

春风送暖，艳阳高照的一天，小神农起得特别早。因为他期盼已久的逛花市愿望终于在今天成真了。小神农兴奋不已，吃完早饭后就兴高采烈地跟在朱有德身后出发了。

师徒俩走啊走，看见大街小巷搭棚设台，摆出各种花，姹紫嫣红，百花争艳。空气中似乎有百草千花馨香飘荡，引得蜂蝶随舞。街上赏花的人不少。怀着愉悦的心情，小神农左顾右盼，突然，他在一处盆景边停下了脚步。

只见这盆植物美丽妖娆，浅紫色的花冠如同喇叭，叶片宽卵形，浅绿色的茎粗壮直立，整株光滑无毛。小神农目不转睛地看着，同时

心里冒出许多问号。“师傅！这花真好看！”他望向朱有德，指了指眼前这株植物，同时向朱有德表达了他的疑惑，问，“这是什么花呢？”

于是，朱有德也前来观看这株植物，然后笑了笑，说：“这叫曼陀罗，在以前是制造蒙汗药用的主料。”

小神农一听来了兴致，“原来这花不止长得好看，还有药效呀！”

见小神农这么喜欢曼陀罗，朱有德就向花农买了一枝。花农简单包起来后，朱有德结完账，遂带着小神农走往不远处的凉亭，在里面稍作歇息。小神农手里举着曼陀罗，欢呼雀跃，求知的兴致也就更高涨了，“师傅，您快跟我讲讲，曼陀罗是一种怎样的花呢？”

朱有德坐在椅子上，笑了笑说，“徒儿别急，且听我慢慢道来。”小神农马上凑过来，认认真真地坐在朱有德身边听他讲。

“曼陀罗，又名曼达、醉心花。来，我们看看它的叶子。它的上部呈对生状，叶片是卵形的。它的顶端渐尖，基部是楔形且不规则的，裂片顶端比较尖。再看看它的花，像是喇叭，因此它也有一个名字叫喇叭花。古书说‘曼陀罗，春生夏长，独茎直上，高四五尺，生不旁引，绿茎碧叶，叶如茄叶。八月开白花，凡六瓣，状如牵牛花而大’。你看，花的下半部带着绿色，上部是淡紫色。也有白色和紫色重瓣者。至于药效，你可要注意点了。”

朱有德一字一句地说道：“曼陀罗是一种有毒的植物，我刚才也讲到它在古代是作为蒙汗药使用，因为它的花瓣镇痛作用很好，可治神经痛，也适用于急诊。除此之外，曼陀罗的各个部位功效也各不相同。拿它的叶子、花瓣、花籽为例来说，这3种都可以入药，常用于

镇咳镇痛。就花瓣而言，除了可以去湿、止咳化痰，还可以治疗惊痫和寒哮。”

小神农边听边看着手中的曼陀罗，原来这小小的花里还蕴含着这么多知识，这让他越发喜欢曼陀罗了。

药物名称汉语拼音索引

特别鸣谢

本书从创作伊始到即将付梓，经历了近3年的时间，其间得到了众多同行和亲朋好友给予的建设性意见和鼎力支持，有了他们的帮助，才有本书的顺利完成和出版，在此特向齐菲、周芳、裴华、谢军成、谢言、全继红、李妍、叶红、王俊、王丽梅、徐娜、连亚坤、李斯瑶、李小儒、戴晓波、董萍、鞠玲霞、王郁松、刘士勋、余海文、李惠、矫清楠、蒋思琪、周重建、赵白宇、仇笑文、赵梅红、孙玉、吴晋、杨冬华、苏晓廷、宋伟、蒋红涛、朱进、高稳、李桂方、段其民、姜燕妮、李俊勇、李建军、王忆萍、魏丽军、徐莎莎、张荣、李佳蔚等表示诚挚的谢意！